D0513806

Salvatore
Falnerra

DELLY

LIBRAIRIE JULES TALLANDIER
17, rue Remy-Dumoncel
PARIS 14e

PROLOGUE

Au cours d'une promenade en automobile aux environs de La Bourboule, le prince Salvatore Falnerra, un garçonnet d'une dizaine d'années, et sa mère sont victimes d'un grave accident. Si le prince est indemne, ainsi que le chauffeur Barduccio, la mère de Salvatore, en revanche, est blessée et le valet qui les accompagnait, tué.

Un jeune homme, attiré par le bruit de l'accident, vient immédiatement porter secours aux automobilistes et constate avec stupeur qu'une roche s'est détachée du talus au moment même du passage de l'automobile sur la route. Coïncidence? Attentat contre la vie du prince? Mais il faut parer au plus pressé et le jeune homme, Gérault de Varouze, propose de conduire la blessée au château de la Roche-Soreix, non loin de là. Cette proposition est acceptée par le prince.

Le château de la Roche-Soreix est habité par le comte Marcien de Varouze, qui y a recueilli sa nièce devenue veuve, Angelica d'Artillac, née Manbelli, et son fils Lionel. Habite également avec eux un neveu du comte : Gérault de Varouze, encore célibataire.

Que sa nièce refasse sa vie avec Gérault, voilà qui comblerait le désir du comte Marcien de Varouze, mais le jeune homme ne semble guère répondre aux avances de la veuve, pourtant fort belle.

La princesse Falnerra et son fils restent une huitaine de jours au château. Peu après leur départ, un garde forestier demande à parler à M. de Varouze. Mis en sa présence, il lui remet un étui à cigarettes en argent, gravé aux initiales O. M., et qu'il a trouvé sur le lieu de... l'accident. Angelica tressaille en voyant l'objet — importante pièce à conviction — que le comte confie à son neveu. Celui-ci le dissimule, sur l'ordre de M. de Varouze, derrière un des livres de la bibliothèque murale du salon. Quelques jours plus tard, on s'apercevra avec stupeur que l'étui à cigarettes a disparu de sa cachette. Qui a pu se rendre coupable de ce vol? Sans qu'il puisse étayer ses soupçons d'une preuve quelconque, M. Gérault de Varouze n'est pas loin de croire que Brigida, la servante toute dévouée d'Angelica, s'est indélicatement approprié l'objet. N'auraient-elles pas partie liée?

Le comte Marcien de Varouze, décidé à faire aboutir son projet, demande à son neveu de lui dire la raison de la froideur qu'il manifeste à l'égard d'Angelica, froideur qu'il ne cherche même pas à dissimuler. Gérault lui répond avec franchise qu'il ne pourra jamais épouser la veuve, car il aime une jeune Arabe, Medjine, qu'il a connue à Alep, quelques mois plus tôt, au cours d'un voyage en Orient. C'est elle qu'il veut prendre pour femme... et il demande à son oncle de vouloir bien donner son consentement à ce mariage. Le comte s'insurge contre le projet de son neveu, le désavoue et réserve sa décision.

Quelques jours plus tard, M. de Varouze, Gérault,

Mme d'Artillac et le petit Lionel se rendent à La Bourboule pour répondre à l'invitation que leur avait faite la princesse Falnerra, avant son départ de la Roche-Soreix. Au cours de cette visite, Mme d'Artillac s'écarte de ses hôtes sous un prétexte quelconque pour rencontrer à leur insu Orso Manbelli, son cousin.

Orso Manbelli... O. M. : les initiales de l'étui à cigarettes... Orso Manbelli a aimé sa cousine Angelica, qui lui a préféré Félix d'Artillac, dépouillé de sa fortune par elle, condamné à mort par elle. Toujours à court d'argent, Orso est toujours amoureux d'Angelica. Pourquoi le repousse-t-elle encore? Elle est veuve, libre... Mais la jeune femme a des vues plus hautes et, pour l'instant, elle veut seulement savoir pour le compte de qui Orso a agi en essayant de tuer la princesse Falnerra et son enfant. Mais Angelica ne saura rien, son cousin ne veut pas donner le nom de celui qui a guidé sa main. Tout ce qu'elle peut obtenir de son cousin, c'est qu'il lui écrive chez Ricardo Clesini, en adressant ses lettres au nom de son amie Sephora Galbi.

Le lendemain, le comte Marcien de Varouze fait connaître sa décision à son neveu Gérault : jamais, il ne consentira à son mariage avec Medjine. Pour réaliser son rêve, le jeune homme quitte définitivement le château de la Roche-Soreix pour retrouver en Orient celle qui l'attend et qu'il aime.

. . . .

Dix ans ont passé et que d'événements se sont déroulés pendant cette période!

Au château de la Roche-Soreix, le comte Marcien de Varouze, paralysé des jambes à la suite d'une fièvre typhoïde, n'est plus que l'ombre de lui-même. Il n'a pas quitté sa chambre depuis trois ans. Voilà déjà quelques années qu'il s'est marié en secondes noces avec Angelica.

Angelica de Varouze reste maintenant le seul maître du château. Elle impose sa loi despotique sur les choses et les gens du vaste domaine, sans pitié pour le personnel et les vieux serviteurs qu'elle congédie brutalement pour les remplacer par des personnes à sa solde.

Bien qu'entouré par sa femme d'une sollicitude de tous les instants, le comte de Varouze n'est pas heureux. Affaibli par la maladie, sans volonté pour mettre obstacle aux décisions de sa femme, il n'a même pas la joie de se sentir aimé par la fille qu'il a eue d'elle : Lea, celle-ci restant complètement sous l'influence de sa mère. Il ne se rend pas compte qu'Angelica poursuit l'élaboration d'un sinistre dessein : l'attente de sa mort qui lui échoira et dont elle pourra, ainsi que Lionel, profiter alors pleinement.

. . . .

Ce soir-là, un train transporte vers la Roche-Soreix, dans un modeste compartiment de troisième classe, une mère épuisée par la douleur, la maladie et le long voyage : Mme Gérault de Varouze et ses deux enfants : un petit garçon, Etienne, et une fillette de neuf ans, Ourida, à la chevelure aux tons fauves, aux yeux noirs d'une saisissante beauté.

Ces enfants n'ont plus de père : le bon Gérault est mort à Alep, après une longue maladie. Avant de mourir, il a conseillé à Medjine, maintenant sans ressources, de partir pour la France avec ses enfants, de frapper à la porte du château de la Roche-Soreix où son oncle, le comte Marcien de Varouze, ne pourra pas — il connaît sa foncière bonté — ne pas les accueillir et les aider. Certes, le comte n'a jamais répondu à ses lettres, mais il n'est pas possible qu'il n'ait pas pardonné à son neveu une union dans laquelle celui-ci a trouvé le bonheur.

Hélas! c'est Angelica de Varouze que Medjine rencontrera la première à sa sortie de la gare et Dieu sait dans quelles dramatiques circonstances.

Terrassée par un évanouissement prolongé, elle ne pourra empêcher la femme du comte, venue à son secours, de connaître son identité, qu'elle eût voulu lui cacher à tout prix. Son alliance, tombée à terre, révèle à Angelica, par les noms gravés à l'intérieur de la bague, qu'elle se trouve en présence de celle que Gérault lui avait préférée et de ses enfants.

Angelica de Varouze ne laisse rien voir de sa découverte. Elle fait semblant de croire l'histoire que, comme une fable bien apprise, lui récite Ourida : sa maman s'appelle Mme Lambert et ils viennent tous trois de Constantinople. Medjine et ses enfants sont emmenés au château de la Roche-Soreix et logés dans une chambre de la tour la plus retirée. Bien entendu, Angelica ne révèle pas à son mari l'identité de ceux qu'elle a recueillis : ce sont, lui dit-elle, de pauvres gens qu'il convient de secourir pendant quelque temps.

. . . .

La comtesse ne tarde pas à capter la confiance de Medjine, qui lui raconte sa pénible odyssée et lui avoue sa détresse. Angelica la réconforte, tout en lui demandant de ne pas chercher à rencontrer son mari hors de sa présence, de continuer à porter le nom de Lambert, Ourida devant répondre à celui de Claire. Plus tard, laisse-t-elle espérer à la pauvre femme, elle arrangerait les choses au mieux de leurs intérêts. Elle réussit cependant à subtiliser les papiers de Medjine, qui s'apercevra de leur disparition quelques jours plus tard.

. . . .

Medjine et ses enfants ne restèrent pas longtemps dans la chambre du château. Une maison en partie délabrée, située à une centaine de mètres de là, devint bientôt leur nouvelle demeure. Dans les jours qui suivirent leur installation, Ourida fit la connaissance de Lea, une enfant vaniteuse et de caractère peu facile. L'autorisation pour les deux fillettes de jouer ensemble dans le parc fut accordée par Angelica, à la condition que Mlle Luce de Francueil, la préceptrice de Lea, ne quitterait pas les enfants.

C'est à cette époque que le prince Salvatore Falnerra fut reçu au château de la Roche-Soreix par Lionel, devenu son ami.

Un matin, se promenant seul de bonne heure dans le parc, il eut la surprise d'entendre chanter Ourida. C'était une chanson arabe. Intrigué, il s'approche de la fenêtre ouverte, entend le nom d'Ourida prononcé par Medjine, se montre à la fillette qui ne peut réprimer un mouvement de surprise. Le prince promet à Ourida de garder pour lui le secret de leur rencontre.

Un événement fortuit devait bientôt bouleverser la vie monotone des réfugiés : la mise en présence d'Ourida avec son grand-oncle, le comte Marcien de Varouze.

Punie par la sévère Brigida et enfermée dans la cave de l'habitation, Ourida découvrit que cette cave communiquait avec un souterrain, lequel conduisait à la resserre des provisions du château. S'enhardissant, elle suit un couloir, monte un étroit escalier de pierre menant au premier étage, pousse une porte au hasard. Celle-ci donne accès à une vaste chambre où, dans le lit, semble dormir un homme au visage creusé, la barbe grisonnante. Et soudain jaillit de ses lèvres un nom : Gérault, le nom du père d'Ourida.

Un mouvement instinctif pousse la fillette vers son grand-oncle, elle se fait connaître, lui livre la vérité. Le comte Marcien de Varouze est atterré par les révélations d'Ourida : sa femme, en qui il avait pleine confiance, lui a menti. Il rassure Ourida, lui promet de la revoir bientôt. Quand Angelica, quelques heures plus tard, s'approche de son lit, le comte, ne pouvant contenir sa colère, lui demande raison de ses mensonges. Angelica répond que cette Lambert prétend être, en effet, la veuve Gérault, mais ne peut faire la preuve de son identité. C'est, à son avis, une folle qu'il convient de surveiller de près.

Devant les menaces d'Angelica, Ourida avoue qu'elle a vu le comte Marcien de Varouze.

PREMIERE PARTIE

I

Dans la rue du Cherche-Midi, au rez-de-chaussée d'une maison étroite et haute, existait depuis nombre d'années un magasin d'antiquités, qui avait appartenu d'abord à un sieur Erdhal, se disant sujet hollandais, mais que des gens initiés assuraient originaire de la très prussienne province de Silésie... Après fortune faite — ou bien sa mission secrète réalisée, prétendaient certains de ces gens clairvoyants que personne n'écoute — l'antiquaire s'était retiré, en cédant son fond à un Italien du nom de Ricardo Clesini.

Ce personnage arrivait de Rome, où il tenait auparavant un commerce de joaillerie. Sa femme l'accompagnait — la belle Sephora, ancienne danseuse à l'Alfieri de Florence, qu'un accident de voiture avait rendue infirme... Ils s'étaient installés dans la maison de la rue du Cherche-Midi, achetée par eux, et s'étaient aussitôt activement occupés de leur nouveau commerce. Ricardo allait et venait, en province, à l'étranger, pour l'achat de meubles ou d'objets anciens. Ce petit homme maigre, chauve, au teint jaune et aux yeux brillants, possédait un flair extraordinaire pour dénicher l'objet rare, et une adresse non moins remarquable pour l'obtenir à petit prix... La vente regardait surtout Mme Clesini. Elle s'y entendait fort bien et, tout en roulant gracieusement le client, s'arrangeait pour qu'il se trouvât généralement satisfait de son marché.

Un après-midi, vers deux heures, un homme vêtu avec une certaine élégance ouvrit la porte du magasin dont le timbre résonna longuement. Au fond, une portière de damas vert fut soulevée, une femme apparut et dit en italien, d'une voix calme, au timbre profond :

— Ah! c'est vous, Manbelli.

— Votre message m'a été remis tout à l'heure, signora.

— Venez par ici.

Orso Manbelli traversa le magasin encombré, mais où chaque meuble, chaque objet, était placé dans un ordre parfait et un sens artistique incontestable... Sephora l'attendait, sa belle tête aux lourds cheveux noirs ressortant sur le fond vert de la portière qui retombait à demi derrière elle. Son visage d'une pâleur ambrée, dont quelques traits rappelaient l'origine sémitique de sa famille maternelle, portait les marques d'une santé précaire; une de ses mains serrait le bec d'ivoire de la canne qui aidait sa jambe infirme. Mais rien n'aurait pu éteindre le feu de ses yeux noirs, l'ardeur inquiétante de ce regard où brûlait une vie intense.

Orso la suivit, d'abord dans une petite arrière-boutique éclairée à l'électricité, où se trouvaient les objets les plus précieux, puis dans une autre pièce plus grande, que fermait une porte capitonnée.

Une grande baie vitrée, donnant sur la cour, éclairait les murs tendus de tapisseries du seizième siècle, les peaux de bêtes sauvages qui couvraient le parquet, les meubles de la Renaissance italienne, toutes pièces d'une très grande valeur... Sur un divan de soie jaune s'amoncelaient des coussins brodés d'argent. Une Junon de marbre reposait sur un socle de malachite, entre deux énormes candélabres d'argent, qui avaient dû appartenir à une église. Devant elle s'élevait la fumée légère et parfumée qui sortait d'un brûle-parfums de bronze. A côté, un grand portrait de femme apparaissait, encadré d'ébène à incrustations d'ivoire.

Orso, un moment, s'arrêta sur le seuil... Bien qu'il fût à plusieurs reprises venu chez les Clesini, c'était la première fois qu'on le recevait ici. La singulière somptuosité du décor le surprenait et l'émerveillait... Mais la signora Clesini dit d'un ton impératif :

— Allons, venez vous asseoir.

Elle-même prenait place parmi les coussins. Et elle déclara aussitôt, sans préambule :

— Angelica m'a téléphoné ce matin... Elle a besoin de vous là-bas.

— Besoin de moi... là-bas?... Pour quoi faire?

— Elle vous l'expliquera... Vous partirez d'ici tout à l'heure en automobile, vous laisserez celle-ci sur la route de Clermont, à quelques kilomètres de Champuis, et vous gagnerez à pied la Roche-Soreix. Mais vous n'irez pas au château. Longez le mur du parc vers deux heures, demain dans l'après-midi, vous trouverez une petite porte ouverte. Votre cousine vous attendra tout près de là pour vous donner ses instructions.

— Bien... Mais l'automobile?

— Mon mari s'en est chargé. Elle sera prête dans une heure, avec un chauffeur très sûr.

— Il s'agit donc d'une affaire... sérieuse?

— Je le suppose. Angelica n'a pu me dire que fort peu de chose, naturellement, mais sous les formules conventionnelles usitées entre nous, j'ai compris qu'il fallait beaucoup de précautions. Aussi trouverez-vous dans l'automobile de quoi vous grimer, en cas de besoin, ainsi que le chauffeur, et celui-ci emportera le nécessaire pour camoufler convenablement la voiture.

— Très bien. Alors, je rentre chez moi pour me préparer vivement. Où rejoindrai-je l'auto?

— Elle vous attendra rue de Sèvres, le long des magasins du Bon Marché... Avez-vous de l'argent?

— Un peu, oui. Le signor Clesini me paye bien, quand il me donne du travail.

— Prenez ceci, en acompte sur le prix dont Angelica payera l'aide que vous lui apporterez.

Elle entrouvrit un petit sac de cuir fauve pendu par une chaîne d'or à la ceinture de sa robe de velours noir et en sortit un billet de mille francs qu'elle tendit à Orso.

L'Italien remercia, tout en se levant... Comme il se détournait un peu, son regard tomba sur le grand portrait, qu'il se prit à considérer longuement.

— Vous admirez la belle Sephora, Orso Manbelli?

La voix dure, amère, pleine de raillerie, fit tressaillir Orso.

— Oui, signora. Quelle merveille que ce portrait!... Mais que ne pouvait-on pas faire, avec un pareil modèle!

Elle était, en effet, superbement belle, la jeune femme dont l'image était reproduite sur cette toile avec une vérité saisissante. Grande, souple, drapée avec une suprême élégance dans les plis harmonieux d'une somptueuse robe de brocart jaune pâle, elle dressait avec une grâce orgueilleuse sa tête brune parée de rubis et dardait sur un être invisible l'éclat passionné de ses yeux noirs, tandis qu'un sourire séducteur entrouvrait les lèvres longues, d'un rouge très vif.

A la réponse d'Orso, la signora Clesini eut un rire étouffé, qui parut lui déchirer la gorge.

— Oui, c'est un très beau portrait... Le comte Dorghèse le fit peindre par Luigi Sardo, à l'époque où il m'appelait sa vie, son idole, et m'assurait que, sans moi, l'existence lui serait impossible... Trois mois plus tard, j'étais victime de cet accident terrible, dû aux chevaux difficiles dont il avait l'habitude de se servir. Il se montra empressé près de moi pendant quelques semaines... puis se déclara appelé à Rome pour ses affaires. Je ne le revis plus... Et je conservai le portrait qu'il ne me redemanda jamais.

Elle parlait d'une voix lente, avec un accent d'ironie glacée qui fit un peu frissonner Orso. Dans les coussins de soie jaune, elle blottissait son corps infirme et sur sa main très belle, aux ongles brillants, elle appuyait son visage frissonnant où les yeux étincelaient d'une flamme étrange.

— ... Mais vous connaissiez toute cette vieille histoire, Manbelli?... Cela fit un peu de bruit, à son heure, dans le monde élégant de Rome et de Florence. Puis on oublia tout à fait cette pauvre Sephora, qui avait fait battre tant de cœurs et dont le comte Dorghèse, un des plus grands seigneurs du royaume, avait songé à faire sa femme. Il n'était bruit dans la société mondaine de Rome, à ce moment-là, que d'une nouvelle beauté, une Française, Mlle de Francueil, de passage chez un de ses parents qui occupait une importante situation diplomatique. Don Cesare l'aimait follement, disait-on, elle n'en était pas moins éprise, et ils venaient de se fiancer... Comment le mariage manqua, presque à la veille de la cérémonie, comment Luce de Francueil disparut si mystérieusement, voilà ce que personne ne comprit... n'est-il pas vrai, Manbelli?

Elle attachait sur Orso un regard dont la lueur presque sauvage le fit à nouveau frissonner.

Il balbutia :

— En effet, personne n'a compris, signora... Mais j'ai été fort surpris de trouver Mlle de Francueil institutrice à la Roche-Soreix...

— C'est moi qui l'ai donnée à Angelica... Oh! je m'intéresse à elle... énormément.

Elle laissa échapper un rire étrange et ses yeux brillèrent d'une cruelle, d'une triomphante joie.

Etendant la main, elle désigna le statue de Junon, vers laquelle montaient les spirales bleuâtres de la fumée odorante.

— Tenez, voici mon modèle... Cette reine de l'Olympe s'y connaissait, en fait de vengeance. Moi, je crois que je n'y suis pas trop maladroite non plus. Luce de Francueil expie... elle expiera jusqu'à la fin de sa vie l'amour qu'elle a inspiré au comte Dorghèse, traître à ses serments à mon égard.

— Mais comment... par quoi la tenez-vous ainsi à votre merci?

— Ah! c'est mon secret, cela!

— Et de don Cesare, — le seul coupable, en réalité, — vous n'avez pas songé à vous venger?

Sephora eut un étrange sourire.

— Il aura son heure, lui aussi... Patience!... Dites donc, Manbelli, il paraît que la grosse fortune de sa femme commence à s'épuiser? Dans quelques années, de nouveau, il se trouvera complètement à sec. Ne pensez-vous pas qu'alors il songera encore à devenir possesseur des biens du prince Falnerra?

Orso blêmit et ne put réprimer un mouvement de recul, en balbutiant :

— Comment puis-je le savoir?

Elle sourit avec ironie.

— Non, vous ne le savez pas... mais tout ce que vous connaissez de lui doit vous le donner à penser. Ayez soin, alors, de ne pas vous faire l'exécuteur de ses hautes œuvres. Oh! ne prenez pas cet air effrayé! Je n'ai pas l'intention de vous dénoncer, rassurez-vous... et même je vous préviens charitablement de ne plus vous faire le complice de don Cesare, car celui-ci n'aura pas toujours la chance de conserver l'impunité.

— Oh! j'ai rompu avec lui depuis longtemps! C'était un homme trop dangereux... et habile à se servir des autres en restant dans l'ombre.

— Oui, un lâche.

Ces mots sifflèrent, comme un coup de lanière, entre les dents de Sephora.

— ... Mais nul comme lui ne possède l'art de séduire, de persuader... Nul, aussi, ne marche avec autant de cynisme sur tous les scrupules... Vous doutez-vous pourquoi, il y a dix ans, il était si pressé de supprimer le petit prince Falnerra?

— Sa ruine était presque complète, disait-on...

— Oui. Mais il aurait pu se refaire par un très riche mariage, car il ne manquait pas d'héritières éprises de lui, dans la noblesse et ailleurs. Amoureux de Mlle de Francueil, qui était sans fortune, et sans doute s'étant assuré qu'elle ne l'écouterait pas s'il ne lui parlait mariage, il s'est avisé que le meilleur moyen d'acquérir cette fortune indispensable était d'hériter de son jeune cousin...Malheureusement pour lui, vous avez raté l'affaire, Manbelli...

Orso tressaillit, en pâlissant de nouveau.

— ... Et d'ailleurs, peu après, Luce de Francueil rompit les fiançailles... Le comte Dorghèse se consola assez vite, car un an après, comme vous l'avez appris sans doute, il épousait une riche veuve, pas très belle, mais qui est en adoration devant lui et aveugle à souhait.

— Je vois que vous êtes très au courant de son existence, signora.

— Oh! beaucoup mieux encore que vous ne le pensez!... Mais allez, Orso Manbelli, vous n'avez que le temps de vous préparer pour ce voyage. Au revoir.

Elle lui tendit sa belle main sur laquelle il appuya ses lèvres.

Quand il fut sorti, Sephora demeura longuement immobile, absorbée dans une profonde songerie... Le bruit de la porte capitonnée qui s'ouvrait lui fit lever la tête. Sur le seuil se tenait un homme de petite taille, correctement vêtu d'un complet gris foncé.

— Ah! te voilà, Ricardo... Manbelli vient de venir. Tout est bien convenu avec Ternier?

— Tout, oui... Orso n'a pas fait d'objection?

— Pas la moindre... Trop heureux de rendre service à sa charmante cousine... Nous avons un peu parlé du comte Dorghèse...

Les sourcils de Ricardo se rapprochèrent et ses yeux brillants devinrent très sombres.

Sephora eut un léger rire moqueur.

— Toujours jaloux, mon pauvre Ricardo?

Il dit sourdement :

— Oui... parce que, vois-tu, je me figure toujours que tu l'aimes encore... malgré tout.

Une rapide lueur passa dans le regard de Sephora, qui, tout aussitôt, devint d'une caressante langueur.

— Ne te mets pas ces idées dans la tête, Ricardo. Cet homme m'a fait une injure que n'oublie pas une femme de mon caractère. Devant toi, j'ai juré de me venger de lui... Ne t'en souviens-tu pas?

— Si... mais on peut haïr par amour.

Elle leva légèrement les épaules et avança la main pour prendre la canne posée près d'elle.

— Je ne te convaincrai jamais, mon pauvre Ricardo.

— Non, jamais... Tu as trop aimé ce misérable... tu as trop souffert de son abandon... Je t'ai vue, Sephora... j'ai été ton confident, alors, quand, mal remise encore, tu t'es fait transporter à Rome, chez ma sœur Laura, pour savoir... pour savoir ce qu'il devenait et au bénéfice de quelle femme il t'abandonnait.

Sephora, le visage soudainement contracté, dit avec irritation :

— Ne me rappelle pas ces heures abominables!... Ta sœur et toi, vous avez été parfaits pour moi. Je l'en ai remercié en acceptant de devenir ta femme... à condition que, toujours, tu aiderais à ma vengeance.

— Oui, tu as accepté par reconnaissance... par intérêt aussi, car j'étais riche. Mais de l'amour, jamais tu n'en as eu pour moi, Sephora... Oh! je ne te le reproche pas! ajouta-t-il, prévenant les mots qui allaient sortir des lèvres de la jeune femme. Tu m'avais averti que tu n'en pouvais plus avoir pour personne au monde, don Cesare l'ayant tué en toi... Mais c'est précisément pour cela que je crains toujours... le souvenir.

Elle secoua la tête et se leva lentement.

— Ne crains rien, Ricardo. Ne te fais pas de ces soucis. Viens, que je te montre la merveilleuse petite chose dont j'ai fait l'acquisition tout à l'heure, pour quelques billets de cent francs.

Elle alla vers un cabinet florentin, aux précieuses incrustations, et l'ouvrit pour y prendre une miniature ancienne. Lui, pendant ce temps, l'enveloppait d'un regard d'angoisse et de doute, qu'elle surprit en se détournant avec une vivacité que l'on n'eût pas attendue de son corps infirme. Sans en rien laisser paraître, la jeune femme tendit à son mari la miniature, et tous deux se mirent à en discuter les mérites, avec une apparente liberté d'esprit.

II

Ainsi que l'avait prévu Angelica, M. de Varouze, cessant tout à coup l'usage du lent poison dont sa femme avait su lui donner l'habitude, s'était trouvé en proie à une accablante dépression, le lendemain de sa discussion avec la comtesse. Certes, en dépit de tout son désir, il lui eût été bien impossible de quitter sa chambre, ni même de recevoir qui que ce fût. Cet état, d'ailleurs, ne s'était pas amélioré le lendemain. Le pauvre homme n'avait plus de force, il souffrait dans tous ses membres et le vide semblait s'être fait dans son cerveau.

Néanmoins, une insinuation d'Angelica, relative à l'effet favorable que produirait une piqûre de morphine, — oh! à très petite dose! — n'obtint aucun succès... Le malade grommela même, en jetant vers sa femme un coup d'œil méfiant :

— Tenez-vous donc à me tuer ?

Elle soupira douloureusement, en levant au plafond des yeux pleins de tristesse... Puis, serrant la main glacée du comte, elle murmura pathétiquement :

— Ah! mon ami, pourquoi me déchirez-vous le cœur avec de pareils soupçons?

Il ne parut pas l'entendre et retomba dans la torpeur qui lui était habituelle depuis quarante-huit heures.

Angelica n'essaya pas de l'en tirer. Jetant les yeux sur la pendule, qui marquait deux heures moins vingt, elle quitta la chambre de son mari et gagna la lingerie où travaillait Brigida.

A mi-voix, elle demanda :

— Le petit est dehors?

— Oui, à droite de la maison. C'est là que j'ai fait mettre le tas de sable. Il s'amuse comme un bienheureux, avec sa pelle et son seau.

— Bien... Alors, je vais là-bas. Donne-moi les clefs, les fioles... tout ce qu'il faut.

La femme de charge sortit de sa poche deux clefs qu'elle tendit à la comtesse. Puis, se levant, elle alla ouvrir une armoire soigneusement fermée où elle prit deux petits flacons, un grand mouchoir et un assez long morceau de cordelette.

— Voilà... Qu'il ne laisse pas traîner le flacon de chloroforme dans le jardin, une fois qu'il s'en sera servi.

— Je le lui recommanderai... Toi, veille à ce que Lea ne quitte pas le château, car elle pourrait nous gêner grandement.

— Oui, oui, j'y aurai soin... D'ailleurs, elle prend sa leçon de musique avec Mlle Luce et, comme c'est la seule chose qui lui plaise, elle reste tranquille pendant ce temps-là.

La comtesse glissa les objets que venait de lui remettre la femme de charge dans un sac à ouvrage qu'elle tenait à la main, puis se dirigea vers la porte. Au moment de l'ouvrir, elle se détourna en murmurant :

— Tu sais, Brigida, le comte a décidément une vraie

défiance, maintenant... Je crains d'avoir beaucoup de peine à changer ses idées.

Brigida haussa les épaules.

— Eh! si donc, tu les lui changeras! Son cerveau est à moitié abruti...

— Pas tant que je le croyais.

— S'il veut nous gêner, nous aviserons, va, ma petite belle. Ne t'inquiète pas à l'avance et occupe-toi pour le moment de nous débarrasser du petit garçon, dont la ressemblance avec son père est réellement ennuyeuse.

Angelica eut un geste affirmatif et sortit de la pièce. Elle descendit l'escalier d'un pas tranquille, prit au passage, dans le vestibule, une écharpe de laine mauve qu'elle jeta sur ses épaules et quitta le château du même pas sans hâte.

Pendant un moment, elle flâna dans les allées du jardin, s'arrêtant pour regarder quelque massif de fleurs d'automne, se penchant pour cueillir l'une d'elles. Ainsi, en paraissant marcher au hasard, elle passa non loin de la maison de Mahault. A quelques pas du vieux logis, le petit Etienne, muni d'une pelle et d'un seau, confectionnait avec ardeur des pâtés de sable. Cette occupation l'absorbait tellement qu'il ne vit pas Mme de Varouze... Celle-ci, d'ailleurs, ne se rapprocha pas de lui. Elle s'éloigna dans la direction du parc; et, après dix minutes de marche, atteignit un point du mur de clôture où se voyait une petite porte basse, rarement utilisée.

Angelica l'ouvrit avec une des clefs qu'elle prit dans son sac. Puis, la laissant légèrement entrebâillée, elle alla s'asseoir un peu plus loin, sur un banc de pierre d'où elle pouvait apercevoir l'entrée.

Son attente ne fut pas très longue. Cinq minutes

plus tard, le battant était poussé par une main prudente, laissant apparaître Orso Manbelli, vêtu d'un cache-poussière brun, coiffé d'un feutre beige.

Vivement, Angelica se leva et avança vers lui.

Il alla au-devant d'elle, prit la main qu'elle lui tendait et la serra énergiquement.

— Je suis exact au rendez-vous, Angelica.

— Très exact... Viens, que nous causions sans perdre de temps.

Il la suivit, une cinquantaine de mètres plus loin, jusqu'à un petit pavillon de briques en partie couvert de lierre et dissimulé dans un fouillis de verdure... Il se composait d'un rez-de-chaussée surmonté d'un comble en ardoises où s'ouvraient de petits œils-de-bœuf. Derrière les portes vitrées, les volets grisâtres étaient rabattus, achevant de donner à ce logis un air d'abandon et de tristesse.

Avec la seconde clef dont elle s'était munie, Angelica ouvrit une petite porte basse qui donnait directement dans une cuisine délabrée située sur les derrières du pavillon. De là, en traversant un étroit couloir, elle entra, suivie de son compagnon, dans une petite salle parquetée plongée dans une obscurité presque complète, car les volets clos ne laissaient pénétrer que de minces filets de jour.

Mme de Varouze alla écarter un peu l'un d'eux et Orso put voir alors que la pièce contenait seulement, en fait de meubles, un vieux canapé d'acajou recouvert de reps déchiré, deux fauteuils au dossier en forme de lyre, dont le bois était mangé par les vers, et une table boiteuse placée devant la cheminée de marbre gris, fort belle, que surmontait une glace verdie par l'humidité.

Orso demanda :

— Qu'est-ce que cette maison?

— Un pavillon qui servait jadis de logis aux membres pauvres de la famille. Allons, assieds-toi et venons-en vivement au fait.

— Oui, dis-moi un peu le motif de cette convocation...

Tout en parlant, il s'asseyait près d'elle, sur le canapé déchiré. Prenant la main de sa cousine, il la baisa longuement.

— Le motif, le voici : j'ai besoin que tu me débarrasses de quelqu'un, Orso.

L'autre eut un sursaut et balbutia :

— Hein?... Te débarrasser?... Comment l'entends-tu?

— Oh! pas de la mauvaise manière!... Et c'est une chose sans danger pour toi. Il s'agit d'un enfant...

— Un enfant?... Quel enfant?

— Un petit être qui me gêne... qui pourrait peut-être, surtout, me gêner plus tard. Tu n'as pas besoin d'en savoir davantage pour agir.

— Eh! mais, dis donc!... j'ai besoin tout au moins de savoir quels risques je cours!

— Aucun... Oui, aucun, je te l'affirme. Sa mère est malade, presque mourante, sa sœur est elle-même une enfant. C'est moi qui ferai les recherches, quand sera constatée sa disparition. Tu penses bien que je n'y mettrai pas un zèle... excessif!

— Ah! comme cela... oui, je ne dis pas... Explique ton affaire, ma petite Angelica.

— Voilà... L'enfant, un petit garçon de cinq ans, joue en ce moment dans le jardin, tout seul, près de la maison où il habite avec sa mère et sa sœur. Tu t'approches de lui, avec un air aimable, pour qu'il ne se sauve pas, tu lui adresses la parole... et tu lui passes sous le nez ce flacon de chloroforme...

Elle sortit la fiole de son sac.

— ... Une fois le petit endormi, tu l'emportes vivement, jusqu'ici, où tu l'enfermes. Ce soir, à la nuit complète, tu reviens le chercher, tu lui fais avaler cette potion soporifique...

Elle sortit la seconde fiole.

— ... Tu l'emportes jusqu'à l'automobile qui t'attendra à peu de distance d'ici sur la route. Puis vous partez aussitôt en direction de Paris... Au cas où l'enfant s'éveillerait en cours de route et où tu craindrais de sa part quelque ennui, donne-lui encore la valeur d'une cuillerée à bouche de cette potion. Il restera sans doute passablement abruti pendant quelques jours, mais ce ne sera pas plus désagréable que cela pour Sephora, qui aura ainsi moins de peine avec lui.

— Sephora?

— Eh! oui, c'est à Sephora que tu conduiras le petit. C'est à Sephora que tu diras : « Angelica vous confie cet enfant et vous prie de lui trouver un asile sûr, chez des gens qui devront toujours ignorer qui il est, d'où il vient. » Il importe de s'arranger pour que, dans quelques années, je puisse cesser tout paiement et qu'il soit impossible à ces gens de découvrir la véritable identité des personnes qui lui auront ainsi confié ce petit étranger...

— En un mot, tu veux qu'il soit abandonné, livré à la charité publique?

— Oui, pour qu'il n'existe aucune possibilité, plus tard, de découvrir la vérité sur son compte.

— Bien. J'expliquerai la chose à la signora Clesini.

— Alors, tu vas opérer dès maintenant... Viens,

que je te montre de loin le petit. Nous n'avons d'ailleurs pas de rencontre à craindre, car j'ai envoyé le jardinier en courses pour tout l'après-midi, et les domestiques, à cette heure, sont occupés à leur travail.

— Oh! je pense bien que tu as pris toutes tes précautions!... Mais, dis donc, je voudrais bien que tu sois aussi prudente et discrète quand il s'agit de moi. Crois-tu qu'il m'ait été agréable d'apprendre que la signora Clesini était au courant de... de ce que je suis venu faire dans ce pays, autrefois?

Angelica eut un léger mouvement d'épaules.

— Sache, mon cher, que je n'ai pas de secret pour mon amie Sephora. Elle te connaît aussi bien que moi... mais tu n'as rien à craindre d'elle, je te l'affirme.

— Oui, oui, on dit cela... et puis, un beau jour, l'indiscrétion se produit... Avec cela que la signora doit avoir une belle dent contre le comte Dorghèse, et qu'elle serait bien capable, par vengeance, de lui raconter qu'elle n'ignore rien de ce qu'il a tenté autrefois contre son jeune cousin... par mon intermédiaire. Or, don Cesare, vindicatif entre tous, n'aura rien de plus pressé que de s'en prendre à moi, qui lui ai juré, sur ma tête, de ne dire mot à personne de cette affaire... Et jamais il ne voudra croire que j'ai tenu mon serment... ce qui est pourtant la vérité, car je ne t'ai rien dit, Angelica, et si tu n'avais pas trouvé mon porte-cigarettes, tu ignorerais toujours...

— Oui... mais je te répète que tu n'as rien à craindre. Quand Sephora voudra se venger du comte Dorghèse, elle saura le faire sans compromettre personne.

— Je veux bien te croire... mais j'aimerais beaucoup mieux qu'elle ignorât cette affaire-là... Maintenant, ma petite Angelica, il nous reste encore une question à régler. Combien me donneras-tu pour le service que je te rends?

— Cinq mille francs... et le porte-cigarettes en question, que je conserve depuis dix ans.

— Oh! cela!...

— Eh bien! mais, c'est la seule pièce à conviction qui existe contre toi.

— Oui... mais comme tu ne voudrais pas me dénoncer, moi, ton cousin, elle ne te sert à rien...

— Soit... mais c'est un souvenir d'autrefois... et je pensais que tu y tenais... un peu...

Elle le regardait avec un reproche câlin... Il se rapprocha d'elle et lui saisit la main, en murmurant d'une voix frémissante :

— Oh! Angelica!... Angelica si cruelle, tu le sais bien que cet autrefois n'est jamais sorti de ma mémoire... ni de mon cœur! Et je t'aime toujours, comme en ce temps-là...

Elle l'interrompit, d'un geste à la fois gracieux et impératif.

— Nous parlerons de cela plus tard. En ce moment, occupons-nous de notre affaire... Repousse tout à fait ce volet... Bien... As-tu une lampe électrique pour cette nuit?

— Oui, il y en a une dans la voiture.

— Il faudra bien enfermer l'enfant dans cette pièce et, pour plus de sûreté, l'attacher, le bâillonner. J'ai là ce qu'il faut. Par impossible, le jardinier ou quelqu'un d'autre viendrait rôder par ici, entendrait ses cris... Tout notre plan serait à l'eau!

— Je ferai le nécessaire, tu peux t'en rapporter à moi.

— Tiens, voici le mouchoir et la corde... Maintenant, partons.

Ils sortirent du pavillon, dont Angelica referma la porte. Puis elle en remit la clef à son cousin et y joignit celle de la petite porte du parc.

— Tu me les feras renvoyer par Sephora, dans quelques jours, lui dit-elle.

Par des petits sentiers, ils gagnèrent les jardins et atteignirent bientôt un bosquet d'où, sans être vus, ils pouvaient apercevoir la maison de Mahault.

Mme de Varouze étendit la main dans cette direction.

— Regarde, l'enfant est là. Il joue toujours tranquillement.

— Mais la mère et la sœur ne peuvent-elles pas me voir?

— Non, Brigida les a enfermées dans leur chambre et, de leur fenêtre, elles ne peuvent pas voir de ce côté.

— Bon... Alors, je vais m'occuper de ça... Il faut bien que ce soit pour te faire plaisir, parce que... tu sais... m'attaquer à un enfant, ce n'est pas beaucoup mon affaire.

Angelica leva les épaules.

— Pour le mal que tu lui feras!... Et comme, s'il était demeuré ici, ce petit n'aurait pu prétendre à autre chose que d'être élevé par charité, tu n'as pas à te faire de scrupules au sujet du sort à peu près semblable qui l'attend... D'ailleurs, tu n'y as pas regardé de si près, il y a dix ans, quand tu attentais à la vie du petit prince Falnerra.

En appuyant sur les mots, en regardant bien en face l'Italien, Mme Varouze ajouta :

— C'est chose entendue, Orso?... Pas de vaine sentimentalité?

Il grommela :

— Oui, c'est entendu... on est toujours obligé de faire ce que tu veux...

Elle eut un léger sourire et, en lui serrant la main, murmura :

— Je saurai te montrer que je ne suis pas une ingrate... Maintenant, au revoir. Je vais inspecter les alentours et dans cinq minutes, si je ne suis pas revenue, tu exécuteras l'opération.

Il la regarda s'éloigner de son allure tranquille et gracieuse. Elle disparut dans une allée... reparut un peu plus loin... disparut encore... Les cinq minutes écoulées, Orso prit dans sa poche le flacon de chloroforme et, le dissimulant dans sa main, quitta le bosquet pour se diriger vers la maison de Mahault.

Etienne, à genoux près du tas de sable, s'amusait à en remplir ses mains et à le laisser filtrer entre ses doigts. Cette occupation l'absorbait si bien qu'il entendit le pas de l'Italien seulement quand celui-ci fut à quelques mètres de lui... Alors, il se détourna et le regarda sans témoigner d'aucune frayeur. Orso, d'ailleurs, souriait et lui dit doucement :

— Eh bien! mon petit, tu t'amuses bien, là?

L'enfant, laissant échapper le sable de ses mains, répondit poliment, ses beaux yeux bleus levés sur l'étranger :

— Oui, monsieur.

— Tu as fait de beaux pâtés, avec ce joli sable?

— Oh! oui!

Tout en parlant, l'Italien se penchait un peu vers le petit garçon.

— Tiens, je vais te montrer quelque chose...

Rapidement, il débouchait le flacon de chloroforme, se courbait sur l'enfant sans défense qu'il saisissait d'une main, pour l'immobiliser, tandis que de l'autre il lui tenait la fiole sous les narines...

Etienne essaya de se débattre, de crier... Mais la poigne vigoureuse d'Orso le maintenait fermement... et, très vite, le chloroforme faisait son œuvre. Le pauvre petit s'affaissa, endormi, entre les bras de l'Italien. Alors, celui-ci, ayant remis le flacon dans sa poche, enleva le corps inerte et s'éloigna dans la direction du pavillon.

Arrivé là, il gagna la pièce où il avait eu son entretien avec Angelica et déposa l'enfant sur le vieux canapé... Puis, debout à quelques pas de lui, il considéra longuement ce joli petit visage immobile, cette petite tête aux cheveux blonds légèrement teintés de fauve.

« Il est gentil, ce pauvre bambino, murmura-t-il en hochant la tête. Qui cela peut-il être?... Sa mère est logée dans une des dépendances de la Roche-Soreix... En quoi cet enfant peut-il gêner Angelica?... Hum! elle doit manigancer quelque mauvais coup, ma charmante cousine! Enfin, c'est son affaire... mais, moi, ça ne me dit rien, ce genre de travail. Il faut bien que ce soit pour elle... et qu'on ne puisse rien lui refuser, quand elle vous regarde avec un certain air... »

Les yeux assombris, Orso, avec une visible répugnance, posa en bâillon le mouchoir sur la bouche d'Etienne, lia les petites mains avec la cordelette, en ayant soin de ne pas trop la serrer... Puis il quitta le pavillon où demeurait seul, immobile, plongé dans un lourd sommeil, le fils de Gérault et de Medjine.

III

Après la scène faite par Mme de Varouze, deux jours auparavant, à Medjine et à Ourida, la santé de la pauvre femme avait subi une nouvelle aggravation... Toute la nuit, elle avait déliré, appelant son mari, suppliant la comtesse de ne pas frapper Ourida... La petite fille, seule près de la malade, ne savait que faire pour la soulager. Elle lui parlait doucement, essayait de la rassurer...

— Maman chérie, ne crains rien!... On ne me fera plus de mal... Et tu verras que l'oncle de papa saura bien empêcher que nous soyons malheureuses!

Mais ces mots : « l'oncle de papa », semblaient augmenter l'angoisse de Medjine.

— Ne dis pas... ne dis pas cela! bégayait-elle. C'est défendu!... Elle te battrait... elle nous séparerait. Ne dis rien, Ourida!... Non, Claire!... Oui, Claire Lambert!... C'est ton nom, il faut le dire à M. de Varouze, s'il te demande...

Au matin, la malheureuse femme s'apaisa et tomba dans un lourd sommeil... Quand Brigida arriva, Ourida courut à elle en disant tout bas :

— Ne faites pas de bruit! Maman dort... et elle a été si malade, cette nuit!

L'autre leva les épaules.

— Ah! bien, elle aura le temps de dormir, toute la journée!... Si elle veut prendre son lait chaud, il faut qu'elle le boive maintenant. Tu penses bien que je ne vais pas m'amuser à le faire réchauffer et à le lui rapporter!

Comme la femme de charge ne se donnait pas la peine de baisser la voix, Medjine se réveilla et balbutia quelques mots indistincts... Ourida se précipita vers elle.

— Maman, que voulez-vous?... Oh! maman chérie, vous dormiez si bien!

Medjine, sans répondre, dirigea vers Brigida le regard inquiet, douloureux, de ses beaux yeux noirs.

La femme de charge s'approcha, un bol à la main.

— Tenez, voilà votre lait.

Medjine dit faiblement :

— Je ne pourrai pas...

— Vous ne pourrez pas quoi?

— Le boire.

— Quelle histoire!... Allez-vous maintenant vous mettre à faire des façons?... D'ailleurs, ça vous regarde. Voilà le lait, la petite vous le donnera quand votre caprice sera passé.

Là-dessus, Brigida tournait les talons, quand la pauvre voix tremblante appela :

— Madame Brigida...

La femme de charge se détourna, la mine revêche.

— Eh bien! quoi?

— Je voudrais... voir un prêtre.

Ce n'était pas la première fois que Medjine adressait pareille requête, soit à Mme de Varouze, soit à la servante... Toujours, la comtesse avait répondu ou fait répondre par sa confidente :

— J'en parlerai au curé de Champuis.

Mais la malade n'avait jamais vu celui-ci... pas plus que le médecin, demandé aussi à deux ou trois reprises, quand elle se sentait plus faible qu'à l'ordinaire.

Cette fois encore, Brigida répondit, en enveloppant d'un coup d'œil aigu le visage plus altéré ce matin qu'il ne l'avait jamais été :

— Bon, j'en parlerai à Madame.

Et elle allait quitter la chambre, sans offrir d'autres soins à cette femme presque mourante, quand elle dit tout à coup :

— Ah! j'allais oublier!... Mme la comtesse veut tout de même te donner une punition, Claire. Tu resteras ici pendant deux jours, sans sortir... Et pour être bien sûre que tu obéiras, je vais fermer la porte à clef.

Cette punition-là importait peu à Ourida, surtout aujourd'hui où elle ne songeait aucunement à quitter sa mère. Elle entendit donc sans aucune émotion la clef tourner dans la serrure de la chambre... Quant à Medjine, elle soupira et ferma ses paupières diaphanes sur ses yeux pleins de détresse.

Toute la journée, elle somnola, fiévreuse, et d'une faiblesse si grande qu'elle pouvait à peine soulever sa tête pour boire. Ourida, attentive à ses moindres mouvements, lui présentait avec adresse la tisane que Brigida, en revenant vers l'heure du déjeuner, avait consenti à envoyer par sa nièce... La femme de charge, en outre, arriva dans l'après-midi et déclara que le petit Etienne, lui, ne méritant pas d'être puni, elle allait le faire sortir et l'installer à jouer près de la maison tant qu'il y aurait du soleil.

Medjine, accablée par la fièvre, Ourida, trop jeune, et d'ailleurs tout absorbée par le soin de sa mère, ne songèrent ni l'une ni l'autre à s'étonner de cette sollicitude inaccoutumée... Etienne, deux heures plus tard, fut réintégré dans la chambre avec des joues rosées par le bon air et apprit à sa sœur que « Madame Brigida » lui avait promis, pour le lendemain, un seau et une pelle, avec lesquels il pourrait faire de beaux pâtés de sable.

Medjine eut encore une nuit mauvaise, un peu moins cependant que la veille. Au cours de la journée, elle resta fiévreuse, anéantie par la faiblesse... Dans son pauvre cerveau inquiet, les idées s'entrechoquaient, la hantise de l'avenir, pour ses enfants chéris, devenait une atroce angoisse... En ces heures de détresse, tout le plan infernal d'Angelica lui apparaissait. L'empressement de la comtesse à offrir l'hospitalité aux étrangers dont — sans que Medjine pût s'expliquer comment — elle avait déjà reconnu certainement la véritable identité... l'obligation qu'elle leur avait faite de cacher leur nom... la crainte que les hôtes ainsi retenus à la Roche-Soreix eussent quelque rapport avec M. de Varouze... oui, tout se montrait maintenant à la jeune veuve sous son véritable jour... Et en regardant sa main où manquait l'anneau de mariage, perdu elle ne savait où ni comment... en se rappelant les papiers d'état civil également disparus... en songeant à divers objets pouvant à la rigueur servir à prouver son identité, mais qu'elle n'avait jamais pu retrouver depuis que Brigida, le lendemain de son arrivée, avait défait ses deux malles, Medjine se demandait avec terreur si elle n'avait pas été l'objet de l'intrigue la plus savante, du vol le plus odieux.

« Mais alors... alors, si elle est capable de cela, que fera-t-elle à mes enfants, quand je ne serai plus? » pensait-elle désespérément.

Et ce parti pris de ne faire venir près d'elle ni le prêtre, ni le médecin?... Et cette indigence où la comtesse laissait la nièce et les petits-neveux de son mari?... Les médicaments nécessaires à la santé de la malade lui étaient ou refusés, ou parcimonieusement mesurés. La nourriture était à peine suffisante pour les enfants et leur habillement très modeste, que la mère n'avait pu renouveler avant son départ de Constantinople, s'usait déplorablement, sans que Mme de Varouze parlât de le remplacer. La châtelaine, cependant, aux premiers temps du séjour de Medjine à la maison de Mahault, s'était fait remettre les mille francs qui restaient à la pauvre femme, en lui disant qu'elle se chargeait de lui procurer le nécessaire... Mais, là encore, elle avait trompé... elle avait abominablement surpris la bonne foi de celle qui s'était confiée à elle.

Ainsi Medjine, en son cerveau enfiévré, retournait toutes ces pensées douloureuses, toutes les détresses de son cœur maternel... Et près d'elle, Ourida, silencieuse, attentive, raccommodait avec adresse déjà un petit vêtement à son frère, en levant de temps à autre sur la malade ses beaux yeux éclairés de tendresse ardente.

Etienne jouait dehors. Brigida était venue le chercher, comme la veille, et lui avait remis le seau et la pelle promis, en disant qu'elle avait fait mettre un petit tas de sable près de la maison et qu'il pourrait s'amuser là tant qu'il voudrait.

Vers quatre heures, la femme de charge entra, en annonçant :

— Je ne sais pas où est allé le petit... Il n'est plus à côté... j'ai appelé, regardé un peu aux alentours...

Medjine eut une exclamation d'inquiétude et Ourida

se leva d'un bond, en laissant échapper vêtement, aiguille et fil.

— Etienne n'est plus là?... Mais il ne peut pas être bien loin!... Laissez-moi chercher, madame Brigida!

— Eh! je ne devrais pas permettre ça... puisque vous êtes punie. Mais enfin... allez tout de même. Moi, je n'ai pas des jambes à courir après ce petit polisson, auquel j'avais bien défendu de s'éloigner.

Ourida s'élança au-dehors... Elle vit en passant le seau et la pelle qui gisaient près du tas de sable... En courant, elle s'en alla au travers des jardins, appelant Etienne, d'abord sans beaucoup d'inquiétude, car elle pensait le trouver bien vite... puis avec un effroi grandissant quand elle vit ses recherches infructueuses.

Alors, sans souci du jour qui tombait, elle s'en alla vers le parc, appelant toujours... Et dans sa course le long des allées où se répandait l'ombre du crépuscule, elle passa près du petit pavillon clos, couvert de lierre, sans se douter, pauvre Ourida, que celui qu'elle cherchait était là, étendu sur le vieux canapé, les mains liées, la bouche fermée par le bâillon, entendant les appels de la voix angoissée, mais ne pouvant y répondre.

Quand l'enfant épuisée, à bout de souffle, revint enfin à la maison de Mahault, la nuit était presque complète... Brigida, qui arrivait du château, l'apostropha :

— Eh bien! d'où viens-tu donc?... Et Etienne, où est-il?

— Mais je ne l'ai pas retrouvé!... Oh! madame Brigida, il n'est pas perdu, dites?

— Perdu?... Eh! je pense bien que non! Comment

se perdrait-il ici ?... Mais il se cache peut-être et fait semblant de ne pas t'entendre.

— Oh! non, bien sûr!... D'abord, il a trop peur de la nuit!

— Alors... moi, je ne sais pas... Je vais en parler à Madame, et on verra ce qu'il y a à faire.

La petite fille dit avec un accent d'angoisse :

— Mais maman va être encore plus malade, quand elle saura...

— Ah! pour ça, ma petite, je n'y peux rien... Tâche qu'elle soit raisonnable. Si Etienne n'est pas revenu ce soir, on le cherchera demain, au jour... parce que maintenant qu'il fait nuit, on ne peut pas faire grand-chose.

Medjine, dévorée par l'inquiétude, attendait en tremblant convulsivement le retour de sa fille... Quand, dans la chambre envahie par l'obscurité, elle vit s'avancer la petite silhouette, la malheureuse femme tendit les bras vers elle, en bégayant :

— Et Etienne?... Où est Etienne?

Ourida s'élança vers elle.

— Maman chérie, je ne l'ai pas encore trouvé... Mais on va le chercher encore... Bien sûr qu'il n'est pas perdu, maman!

Mais la mère, avec un gémissement de bête blessée, laissa retomber sa tête sur l'oreiller, en balbutiant d'une voix rauque :

— Mon petit... mon chéri... Perdu... on l'a perdu!

Puis elle ne bougea pas... Et ce fut en vain qu'Ourida l'appela, l'embrassa... Alors, comme une folle et oubliant les défenses qui lui étaient faites à ce sujet, l'enfant courut vers le château, s'en alla sous les fenêtres de l'office appeler :

— Madame Brigida!... Madame Brigida!

Une fenêtre fut ouverte, une femme apparut et demanda :

— Qui est là?

— Claire Lambert... Dites à Mme Brigida, madame, que maman est très malade... qu'elle est peut-être morte!

— Bien, je vais faire la commission.

Quand Ourida revint à la maison de Mahault, Medjine n'avait toujours pas bougé... Brigida arriva un quart d'heure plus tard, grommelant que « ces gens-là n'auraient jamais fini de la déranger ». Après avoir examiné la malade, elle déclara qu'elle n'était pas morte et qu'elle allait chercher sa maîtresse pour la sortir de là.

Il fallut quelque temps avant que Mme de Varouze réussît à faire revenir la pauvre femme de sa syncope. Ce fut d'ailleurs, après un court éclair de connaissance, pour la voir tomber dans un état comateux qui persista pendant quelques heures... après quoi, vers minuit, elle entra dans une courte agonie et rendit à Dieu sa pauvre âme souffrante, si bonne et si pure, que la comtesse de Varouze avait si bien martyrisée, en ces derniers mois.

Brigida, qui était demeurée près de la mourante, avait obligé Ourida à s'étendre sur le lit d'Etienne, transporté par elle dans une des chambres situées de l'autre côté du vestibule. Mais la pauvre enfant était bien incapable de trouver le sommeil. Elle avait entendu Mme de Varouze murmurer : « Je crois que c'est bientôt la fin... » et cette parole l'avait glacée de douleur et d'effroi. Tremblante, crispée par l'angoisse, elle écoutait, guettait le moindre bruit... Quand elle entendit quelques allées et venues, elle n'y tint plus et, se levant, sortit de la pièce nue et froide où elle se trouvait, traversa le vestibule, s'arrêta au seuil de la grande chambre, dont la porte était ouverte...

Alors, elle vit sa mère immobile, silencieuse, sur le lit éclairé par la lampe voisine... Brigida, près de là, dépliait un drap et Mme de Varouze cherchait du linge dans l'armoire où se trouvait le modeste trousseau de la mère et des enfants.

Ce fut elle qui, la première, aperçut la petite fille s'avançant doucement vers le lit, après un court temps d'arrêt.

La comtesse s'approcha, en disant d'une voix qui n'avait peut-être pas toute son assurance ordinaire :

— Retournez sur votre lit, ma petite... Vous voyez, votre maman est bien tranquille.

Elle étendait la main pour saisir le bras de l'enfant.

Mais celle-ci lui échappa et courut au lit, en murmurant :

— Je veux voir maman... Je veux voir si elle dort.

Brigida, d'un brusque mouvement, se plaça devant le lit et repoussa la petite fille, en disant de sa voix aigre :

— Eh! oui, elle dort... pour toujours. Elle est bien plus heureuse comme ça, va!

Ourida bégaya, en levant sur la femme de charge ses yeux dilatés :

— Pour toujours?

Angelica s'avança et mit sa main sur l'épaule de l'enfant.

— Votre pauvre maman était bien faible, bien malade, ma petite Claire... La mort est une délivrance pour elle...

— La mort?

Ourida, blêmissante, attachait sur le doucereux

visage de la comtesse un regard de terreur et de détresse.

— Eh! oui, ma pauvre petite... Mais ne craignez rien, je ne vous abandonnerai pas. Vous continuerez de recevoir ici l'hospitalité, ainsi que les soins qui vous seront nécessaires...

En s'écartant brusquement, Ourida échappa à la main qui s'appesantissait sur son épaule et, avant que Brigida eût pu l'en empêcher, elle se jeta sur le lit, avec un cri sourd, un gémissement de douleur...

— Maman!... Oh! maman!

Ses mains se posèrent sur celles de la morte... Et, en sentant ce froid de glace, l'enfant eut un long frisson, balbutia quelques mots indistincts, puis s'écroula sur le vieux tapis, sans connaissance.

IV

Une fois de plus, les gens de Champuis et des alentours purent admirer la charité, l'inépuisable bonté de la châtelaine, en apprenant avec quel dévouement elle avait assisté à son lit de mort l'étrangère recueillie par elle, avec quel soin elle avait fait rechercher dans le parc, dans les environs, le petit garçon dont la disparition avait causé la mort de la mère.

Le curé de Champuis, qu'Angelica avait fait prévenir quand elle s'était assurée que la pauvre Medjine ne reprendrait plus sa connaissance, n'avait pas de motif pour suspecter cette explication donnée par la comtesse :

— Mme Lambert ne me paraissait pas sérieusement malade... et même elle se sentait mieux, depuis quelque temps. Aussi refusait-elle de voir le médecin, que je lui offrais de faire venir... Sans l'émotion causée par la disparition du petit Etienne, elle se serait très bien remise, je crois... Mais j'aurais été si heureuse que la malheureuse pût voir, avant de mourir, monsieur le curé!

Pas davantage, le docteur Blaisac, médecin de Champuis, n'avait conçu de doutes au sujet des assertions de la comtesse. Il était arrivé tandis que Medjine se trouvait en agonie et n'avait pu qu'approuver les soins intelligents donnés à la pauvre femme. Brave homme, mais très vaniteux, d'intelligence courte et de volonté faible, il exultait de voir sa femme en relation avec la châtelaine, qui la comblait d'amabilités, et d'être lui-même l'objet d'attentions flatteuses, d'entendre vanter sa science, son dévouement par l'habile Angelica, rompue à l'art de se faire des complices d'autant plus fidèles qu'ils étaient inconscients du mal dont ils devenaient les instruments.

Quand il revint le lendemain pour constater le décès, Mme de Varouze se garda, naturellement, de le conduire près de la petite Ourida, qui délirait sur le lit d'Etienne. Brigida et elle soignaient l'enfant, dont les petits bras les repoussaient, tandis que les lèvres tremblantes balbutiaient :

— Maman... Etienne... Ne me laissez pas... toute seule!... Etienne... perdu!... Oh! maman, réveillez-vous!... J'ai peur!... J'ai peur!... Laissez-moi, vous!... Laissez-moi!

Angelica, toujours prudente, calmait les velléités brutales de sa servante, peu disposée à réprimer son animosité envers la fillette.

- Ne nous mettons pas dans notre tort en usant de violence, disait-elle. D'ailleurs, avec cette nature-là, je crois que ce serait chose inutile... De la sévérité, soit.. de la ruse aussi... Puis donnons-lui bien la certitude qu'elle est sous notre domination... maintenons-la toujours dans une condition inférieure, afin de briser dès maintenant son orgueil, un esprit de rébellion que l'on devine en germe chez elle.

Brigida grommelait, en levant les épaules :

— Mon système serait meilleur que le tien. En

quelques semaines, je te l'aurais matée, la petite!

— Et si l'on découvrait qu'elle a été l'objet de sévices de notre part, qu'adviendrait-il?... On ferait une enquête et, pour peu que l'enfant ait prononcé un mot de trop, on arriverait à savoir la vérité... Tandis qu'en agissant comme je le dis, que risquons-nous?... Admettons que Claire, quelque jour, se laisse aller à une indiscrétion... qu'elle prétende être la fille de Gérault de Varouze et raconte toute sa petite histoire?... L'opinion publique, prévenue que « Mme Lambert » n'était qu'une aventurière dont j'ai eu la charité d'avoir compassion, — j'ai déjà glissé un mot dans ce sens hier au docteur et au curé, — l'opinion publique, dis-je, n'y attachera aucune importance. Je suis trop honorablement connue ici, trop estimée de tous, pour que l'on ait idée de me suspecter, de croire aux histoires racontées par cette petite étrangère, objet de mes bontés, de mes soins. Mais il faut pour cela, comprends-le, Brigida, qu'elle ne puisse montrer de preuves contre nous.

Oui, ainsi que l'avait dit naguère Orso Manbelli, cette femme se montrait supérieure dans le génie du mal, dans l'art du crime. Avec une infernale adresse, elle cheminait vers son but, sans hâte, pesant tout, n'avançant qu'à coup sûr... Déjà, la veuve de Gérault se trouvait définitivement écartée de sa route. Le petit Etienne, dont la ressemblance avec son père aurait pu devenir gênante, à un moment donné, allait être envoyé à l'étranger par les soins de Sephora, qui arrangerait les choses de telle sorte qu'on ne retrouvât jamais aucune trace de son identité... M. de Varouze, très affaibli depuis quelques jours, n'avait de toute vraisemblance que peu de temps à vivre... Quant à Ourida, si la maladie l'épargnait, Angelica saurait bien la maintenir dans la soumission... et, comme elle venait de le dire à sa complice, si malgré tout la fille de Gérault s'avisait un jour ou l'autre de parler, qui donc, dans le pays, croirait aux accusations qu'une étrangère sans papiers, recueillie, nourrie, élevée par la comtesse de Varouze, porterait contre sa bienfaitrice, la dévouée, la charitable, la bonne châtelaine de la Roche-Soreix?

***

Après une seconde nuit moins agitée, Ourida se réveilla sans fièvre, mais le corps brisé, le cerveau presque incapable de penser... Peu à peu, cependant, elle reprit conscience et se souvint de la douloureuse réalité. Alors, elle se mit à sangloter tout bas, en murmurant désespérément :

« Oh! maman!... Maman! »

Brigida vint la voir dans la matinée, un court instant, et constata de sa voix maussade :

— Allons, voilà que tu vas mieux tout de même. Ce n'est pas dommage!... Avec vous tous, on finit par être rompu de fatigue!

L'enfant demanda anxieusement :

— On n'a pas encore retrouvé Etienne?

— Non... Pour sûr qu'il a été pris par des bohémiens... de ces rôdeurs qui traînent sur les routes et qui se seront introduits dans le parc.

— Et... est-ce que vous croyez qu'on ne le retrouva pas?

Brigida leva les épaules.

— Ça, je n'en sais rien... Madame a prévenu la gendarmerie pour qu'on le cherche. S'il y a des nouvelles, on vous le dira tout de suite.

Ourida joignit les mains.

— Mon petit Tiennot! Peut-être qu'on va le battre, le rendre très malheureux?

— Oh! bien, ça lui fera le caractère!... Allons, bois cette tisane et puis reste tranquille.

Ourida prit la tasse d'une main tremblante, non sans jeter à la femme de charge un regard indigné, ce qui lui attira cette apostrophe :

— Eh! mauvaise petite louve, tu mordrais bien, si l'on t'en laissait la liberté!... Mais ce n'est pas avec moi que tu l'auras, va!

Quand l'enfant eut bu, Brigida prit la tasse et elle allait se retirer lorsque Ourida demanda, de sa petite voix frémissante :

— Je voudrais aller voir maman?

— Oh! bien oui, penses-tu que je le permettrais, après la belle journée que tu as passée hier à battre la campagne? Non, ma petite, tu resteras ici... et inutile de te lever, de chercher à entrer par là, car la porte de la grande chambre sera fermée.

— Mais on va l'emporter! gémit l'enfant. On va l'emporter comme papa... Laissez-moi la voir encore une fois, avant?

Brigida haussa les épaules, sans daigner répondre, et sortit de la pièce.

Alors, pour la pauvre petite créature abandonnée, glacée par le malaise, par le chagrin, par la fraîcheur de cette pièce jusqu'alors inhabitée, commencèrent de longues heures d'angoisse et de détresse... Elle se voyait seule, aux mains de ces deux femmes qui avaient trompé sa mère, qui l'avaient fait souffrir par leur méchanceté, plus hypocrite, plus habile chez l'une, mais que le précoce instinct de l'enfant lui faisait pressentir de ce fait plus dangereuse... Elle pensait désespérément à cette mère qui gisait là-bas, sans vie, et qu'on l'empêchait d'aller contempler une dernière fois... Elle pensait à Etienne... son pauvre petit Tiennot si affectueux, qui était perdu... que de méchantes gens peut-être brutalisaient et qui appelait en vain sa mère, sa sœur...

Les mains jointes, elle priait :

— Oh! mon Dieu, rendez-moi mon petit frère!... Il sera tout de même moins malheureux ici, parce que je serai là pour le consoler, quand on sera mauvais pour lui.

De grosses larmes coulaient sur les joues pâles et des soupirs d'angoisse gonflaient la poitrine de l'enfant, maintenant tout à fait orpheline.

Vers deux heures, son oreille attentive perçut un bruit de pas lourds, dans le vestibule... Puis elle entendit qu'on ouvrait la porte de la grande chambre... Quelque temps après, les pas retentirent à nouveau sur les dalles du vestibule; mais ils semblaient comme allégés... La voix de Brigida s'éleva, disant :

— Allez au château où l'on vous servira un verre de vin.

Une voix d'homme répondit :

— Merci bien, madame.

Puis les pas s'éloignèrent... la porte de la maison fut refermée, sans doute par Brigida.

Ourida songea :

« Qui donc est venu là? »

Pauvre petite, elle ignorait tout de la mort et de ses lugubres détails, car de compatissants voisins, à Constantinople, l'avaient gardée chez eux pendant que Gérault demeurait sur son lit de mort et ensuite quand on l'avait enfermé dans son cercueil.

Elle ne revit Brigida qu'à la tombée de la nuit.

Bien que son pauvre cœur fût gonflé de lourd chagrin, l'enfant se força à boire le lait apporté par la femme de charge, car il ne lui fallait pas être trop faible pour mettre à exécution le projet qui, peu à peu, en cette journée douloureuse, s'était formé dans ce cerveau enfantin, surexcité par les événements.

Ourida s'était dit, en effet :

« Il faut que l'oncle de papa sache que maman est morte et qu'Etienne est perdu... Et puis, il me défendra, lui... il m'aimera. »

En conséquence, elle avait donc résolu d'aller trouver M. de Varouze, par la voie déjà suivie.

L'entreprise, cette fois, présentait des difficultés plus grandes encore... Ourida n'y réfléchit pas... et les circonstances lui donnèrent raison.

La porte de sa chambre n'avait pu être fermée à clef par Brigida, car la serrure, trop rouillée, ne fonctionnait pas... L'enfant l'ouvrit donc sans difficulté... puis, en tâtonnant, chercha la tablette de pierre. Avec un tressaillement de joie, elle rencontra le pied de cuivre d'une lampe et, à côté, une boîte d'allumettes. Cette question d'éclairage était le seul point qui l'inquiétât pour son expédition, car Brigida ne lui avait pas donné de lumière. Par bonheur, la femme de charge avait laissé à l'entrée cette lampe, qu'elle pouvait ainsi allumer aussitôt ouverte la porte du logis et qui lui servait quand elle venait voir Ourida.

Sous la porte de la grande chambre apparaissait un faible rai de lumière... La petite fille, toute frissonnante et les yeux pleins de larmes, resta un moment les yeux attachés sur cette porte close. Elle murmura, dans un sanglot étouffé :

— Maman chérie!... Maman chérie!

Puis, l'oreille tendue, elle écouta... Y avait-il

quelqu'un là, près de la pauvre morte?... Aucun bruit, en tout cas, ne venait aux oreilles d'Ourida... La petite fille rentra dans sa chambre et s'assit sur son lit, en enveloppant son corps frissonnant dans le manteau que Brigida avait jeté sur le lit, en guise de couverture supplémentaire... Elle n'osait partir encore pour son expédition, car elle ignorait l'heure, et il ne fallait pas risquer de rencontrer quelqu'un près du comte. Mieux valait donc attendre, pour arriver jusqu'à lui, vers le milieu de la nuit, alors qu'il serait seul.

Mais que le temps paraissait long à la pauvre petite créature, anxieuse de savoir ce que dirait « l'oncle de papa », et si, près de lui, elle trouverait cette affection protectrice dont elle avait soif dans son isolement!

Enfin, elle se décida... Très doucement, elle gagna le vestibule, alluma sans bruit la lampe... Le craquement de l'allumette lui fit jeter un coup d'œil inquiet vers la grande chambre... Mais rien ne bougeait, derrière la porte, sous laquelle aucun rais de lumière n'apparaissait plus.

Alors, d'un pas un peu chancelant, car la fièvre et le chagrin l'avaient affaiblie, l'enfant, courageusement, alla s'engouffrer dans les ténèbres des lugubres caves.

V

En ces dernières journées, la dépression s'était accentuée chez M. de Varouzc.

Néanmoins, hanté par les soupçons qui s'insinuaient en lui, depuis son entretien avec Ourida, il avait eu l'énergie de ne pas demander la morphine qu'Angelica, depuis son refus, trouvait plus politique de ne plus lui offrir, comptant qu'il y reviendrait de lui-même.

Quand il ne se trouvait pas trop abattu, les pensées, confuses souvent, pénibles toujours, s'agitaient dans son cerveau fatigué... Le souvenir de son neveu revenait sans cesse... et près de lui se dessinait toujours le gracieux visage d'Angelica... d'Angelica, la femme qui l'avait séparé de Gérault... Si celui-ci avait vu juste, si la petite fille n'avait pas menti...

Oh! le doute... le doute horrible qui le torturait, depuis ces quelques jours!

Quand Angelica s'approchait de lui... quand elle l'embrassait en lui adressant quelque affectueuse parole, il songeait avec un frisson d'horreur : « Si tout cela n'est que mensonge... Oh! alors, quelle abominable créature est-elle donc ? »

Mais comment acquérir une certitude, alors qu'il était là, immobilisé, à la merci de ceux qui le soignaient... prisonnier, peut-être?

Ah! cette idée affreuse!... ce soupçon qui s'insinuait en lui!... Depuis quelque temps, il ne voyait plus ses visiteurs habituels... ni même le curé de Champuis et le docteur Blaisac. « Ces messieurs ont peur de vous fatiguer », avait répondu la comtesse lorsqu'il en avait manifesté quelque surprise... Quant au médecin, comme M. de Varouze, un jour, grommelait contre son impuissance à le soulager et le traitait d'incapable, Angelica avait dit aussitôt :

— Eh bien! mon ami, rien n'est plus facile que de nous passer de lui. Nous connaissons le traitement à vous appliquer... et au cas où vous désireriez consulter un autre médecin, nous en ferions venir un de Clermont.

Le comte, assez porté à la défiance envers les disciples d'Esculape et toujours satisfait quand il pouvait esquiver leurs soins, avait accueilli favorablement la suggestion. Il semblait donc qu'il n'eût pas de motif de trouver suspecte cette suspension des visites médicales... Et pourtant, en rapprochant ce fait des autres, en remarquant mieux que, seuls, la comtesse, Martin et Brigida l'approchaient maintenant, le pauvre homme songeait avec effroi :

« Veut-on donc faire l'isolement autour de moi?... Et dans quelle intention? »

Une seule réponse existait à cette question terrible : on voulait empêcher qu'il parlât de la femme et des enfants de Gérault... on voulait rendre impossible tout changement dans ses dispositions testamentaires.

En un mot, — si la réalité répondait à ses soupçons, — il était séquestré, réduit à la complète impuissance de communiquer avec le dehors sans la permission d'Angelica.

« Je verrai bien cela demain! pensa-t-il en frissonnant à la fois de colère et de souffrance. Quand je lui dirai de faire venir le notaire, je verrai ce qu'elle fera et si elle osera me désobéir! »

Avec de telles pensées, des préoccupations si douloureuses, la nuit ne s'annonçait pas bonne pour le malade... Il eut cependant l'énergie de réprimer son agitation, de dissimuler en partie ses souffrances et sa faiblesse, afin de ne pas donner prétexte à la comtesse ou à Martin de passer la nuit près de lui. La présence d'Angelica, dans l'état d'esprit où il se trouvait à son égard, lui eût été atrocement pénible. Quant au domestique, il lui inspirait une forte méfiance, en dépit — ou peut-être maintenant à cause du grand cas que semblait en faire Mme de Varouze. Bien qu'il parût avoir, comme serviteur, des qualités sérieuses, cet homme aux yeux faux avait toujours déplu au comte... presque autant que Brigida, tant prônée cependant par sa maîtresse.

Aussi avait-il dit ce soir, en voyant que Martin laissait entrouverte la porte du cabinet de toilette où il couchait :

— Non, fermez. Vous ronflez, la nuit, et je pourrais en être gêné. Si j'ai besoin de vous, je vous sonnerai.

Dans la grande chambre discrètement éclairée par une veilleuse, l'infirme se trouvait donc seul et, dans la détresse où le plongeaient ses angoissantes pensées, il entendait passer les heures, marquées par le timbre argentin de la vieille pendule en marbre et bronze, du temps de Louis XVI, qui se dressait au milieu de la cheminée, entre deux petites statues de marbre d'un assez beau travail, représentant la Justice et l'Abondance.

M. de Varouze les avait rapportées d'Italie, en revenant du voyage de noces qu'il y avait fait avec sa première femme, Emmeline d'Artillac. Elles étaient pour lui le précieux souvenir de jours heureux. Emmeline, intelligente et charmante, très artiste, s'était plu dans ces villes italiennes où demeurent tant de chefs-d'œuvre du passé... Mais Angelica, elle, n'avait jamais témoigné le désir de revoir sa patrie. Quand, la seconde année de leur mariage, après la naissance de Lea, son mari lui avait proposé un voyage à Rome et à Florence, elle avait déclaré avec son irrésistible sourire :

— Je n'ai plus là-bas que des parents très éloignés, presque inconnus. Ma seule famille, maintenant, c'est vous, Marcien... et la France est ma patrie... A moins que vous ne teniez absolument à ce voyage, il me semble que nous sommes beaucoup mieux ici, dans notre cher la Roche-Soreix que j'aime tant moi-même.

Il avait éprouvé de ces paroles une grande joie, alors... Et maintenant seulement, il s'avisait de se demander :

« N'avait-elle pas une autre raison pour refuser ce voyage?... Craignait-elle que, là-bas, en ces deux villes où elle a vécu, je ne recueillisse quelque fâcheuse révélation? »

Une heure sonna... Le malade essayait de chasser les pensées terribles. Ne fallait-il pas qu'il reprît un peu de force pour mener à bien la tâche qui consistait à enlever la veuve et les enfants de Gérault d'entre les mains d'Angelica... à leur assurer une existence digne et aisée?... Pour cela, il était nécessaire qu'il pût sortir de cette chambre, aller se rendre compte par lui-même, près de cette jeune femme, puis, une fois sa certitude bien établie, charger un intermédiaire sûr du soin des êtres chers que Gérault lui avait confiés...

Mais que ferait... que dirait Angelica, en présence de telles résolutions?

Il murmura, les traits crispés par une sourde colère :

« Je suis le maître!... Et si je n'ai plus de doute sur son hypocrisie, sur ses manœuvres, je le lui dirai en face... je la chasserai d'ici. »

A cet instant, il perçut un bruit léger... Puis il vit se soulever doucement la portière qui séparait sa chambre du fumoir et apparaître une petite fille toute pâle, dont les belles boucles fauves emmêlées flottaient sur les épaules couvertes d'un vieux manteau.

Le comte murmura :

— Toi, Ourida?... Toi, ma petite fille?

Après un prudent coup d'œil jeté autour de la chambre, l'enfant s'avança et vint poser ses petites lèvres brûlantes sur la main froide et tremblante qui s'étendait vers elle.

Tout bas, elle murmura :

— Oh! mon oncle... mon oncle!

La clarté de la veilleuse était suffisante pour que M. de Varouze, dont la vue était restée bonne, remarquât aussitôt l'altération du charmant petit visage, la lueur de fièvre et de détresse qui brillait dans les beaux yeux noirs... Il demanda, lui aussi dans un chuchotement :

— Qu'as-tu, ma petite chérie?... Pourquoi viens-tu comme cela, en pleine nuit?

Elle gémit, en serrant convulsivement entre ses petites mains trop chaudes la main décharnée du comte :

— Je suis toute seule... Maman est morte... Etienne est perdu!

M. de Varouze retint à grand-peine l'exclamation qui lui montait aux lèvres.

— Que dis-tu?... Ta mère morte?... Etienne perdu?... Voyons, raconte-moi un peu...

— Oui, maman chérie est morte avant-hier soir, quand elle a su qu'on n'avait pas retrouvé Etienne...

— Mais où était-il, Etienne?... Comment a-t-il pu se perdre?

L'enfant raconta ce qu'elle savait, d'une voix étouffée par les sanglots... M. de Varouze l'écoutait, un peu haletant, les traits tendus... Quand Ourida se tut, il demanda :

— Et on t'a dit... qu'on avait cherché?... bien cherché?

— Oui, Brigida me l'a dit.

— Oh!... Brigida...

L'antipathique visage, auquel il n'avait pû s'habituer, surgissait en sa pensée.

— Et... Mme de Varouze?

— Je ne l'ai pas vue... depuis... depuis que maman est...

Le mot terrible s'étrangla dans la gorge de l'enfant.

M. de Varouze entoura de son bras le cou frêle et attira contre lui la petite tête aux boucles soyeuses.

— Ma pauvre petite chérie!

Puis, avec un effort, il ajouta :

— Alors, Mme de Varouze ne s'est pas occupée de toi?... Elle n'est pas venue te voir?... te consoler?

— Non, mon oncle. C'est Brigida qui m'apportait de la tisane, du lait...

— Mais cependant, on ne t'a pas laissée seule, là-bas?

— Oh! si, toute seule!... Et j'ai été malade... Mais je vais mieux maintenant...

Le comte répéta, d'un ton de sourde indignation :

— Toute seule!... toute seule!... Pauvre petite créature!... Mais qu'ont-elles donc dans le cœur, ces femmes?... Et elle!... elle!... Oh! mon Dieu!

Il resta un long moment prostré dans sa douleur. Ses doigts, lentement, caressaient la joue brûlante d'Ourida... L'enfant demanda, avec un accent de supplication anxieuse :

— Vous ferez encore chercher Etienne, dites, mon oncle?

— Certes, ma mignonne!... Et toi, j'empêcherai qu'on te rende malheureuse. Tu seras ma chère petite-nièce, tu habiteras désormais ici...

Pendant un moment, le comte resta silencieux... Il réfléchissait au moyen de faire prévaloir sa volonté, lui, l'infirme qui ne pouvait agir seul... Et, avec terreur, il devait conclure qu'il se trouvait désarmé, complètement à la merci de sa femme et de ceux qu'il soupçonnait d'être ses complices.

Ainsi, qu'il déclarât reconnaître Ourida pour sa petite-nièce... qu'il ordonnât de la traiter comme telle... Angelica, si elle le voulait, pouvait mépriser ses volontés, impunément, car son mari se trouvait dans l'impossibilité de les faire connaître au-dehors. Et, de même, il lui était loisible d'empêcher que M. de Varouze changeât ses dispositions testamentaires... ou, tout au moins, que ce changement parvînt à la connaissance de qui de droit.

Un frisson de désespoir secoua le pauvre homme... Prisonnier!... Oui, vraiment, il était prisonnier! L'évidence, tout à coup, s'imposait à lui, à cet instant où il cherchait le moyen de faire rendre justice à la fille de Gérault.

Il demanda, en regardant le petit visage intelligent dont les beaux yeux s'attachaient anxieusement sur lui :

— Sors-tu quelquefois?... Vas-tu du côté du village?

— Non, je ne sors jamais, mon oncle.

Il soupira... Un instant, il s'était dit que l'enfant pourrait aller prévenir le notaire de Champuis qu'il le demandait... Mais à quoi aurait servi cette démarche? Si vraiment Angelica séquestrait son mari, elle s'arrangerait pour raconter au tabellion que le comte se trouvait trop souffrant pour le recevoir... Et, ses informations lui apprenant que c'était Ourida qui l'avait prévenu, elle interrogerait celle-ci... elle arriverait à savoir que la petite fille avait vu son oncle... Quelles complications en perspective pour la pauvre petite et pour lui, le malheureux infirme!

Mais alors, que faire?... Il fallait pourtant qu'il assurât le sort de cette enfant... et que lui-même se dégageât des liens dont il se sentait entouré.

« Demain, je parlerai à Angelica très nettement... je lui déclarerai ma volonté, songea-t-il. C'est tout ce que je puis faire, hélas!... Et si elle n'en tient pas compte... si elle empêche le notaire de venir jusqu'à moi... alors, je suis impuissant... et cette petite Ourida continuera d'être malheureuse, traitée comme une pauvresse à qui l'on fait la charité... elle, la fille de Gérault! »

Il crispa les poings, en exhalant un gémissement de colère... Puis, tout à coup, il murmura :

— Eh bien! ce testament, je l'écrirai quand même!

L'écrire?... Avec quoi? Il n'y avait ici, pas plus que dans le fumoir, ni plume ni papier. Était-ce une précaution de la comtesse, au cas où son mari aurait eu l'idée de modifier son testament?

M. de Varouze jeta un regard de détresse autour de lui... Où? avec quoi écrire les volontés suprêmes qui sauvegarderaient l'avenir matériel des enfants de Gérault?

Cependant, il fallait qu'il le fît... avant d'avoir parlé à sa femme. Car, ensuite, elle le surveillerait peut-être de très près pour qu'il lui fût impossible de mettre son dessein à exécution.

Le regard angoissé de l'infirme continuait de chercher autour de lui... Sur quoi, à défaut de papier, pourrait-il écrire ce testament?

Tout à coup, les lèvres tremblantes murmurèrent :

— Là... oui, là...

La main se levait, se tendait vers les blanches statues de marbre qui se faisaient pendant, sur la cheminée.

— Là, je puis écrire... Mais où trouver un crayon?

L'enfant dit vivement :

— J'en ai un, mon oncle... dans ma poche!

— Ah! donne... donne!... Et puis, va me chercher une de ces statues... bien doucement.

Ourida jeta un regard vers la cheminée.

— Je ne pourrai pas, mon oncle... je suis trop petite. Il faut que je monte sur une chaise.

— Eh bien! va... sans faire de bruit, surtout!

Avec précaution, Ourida approcha une chaise légère de la cheminée. Fort heureusement, l'épais tapis étouffait tous les bruits... L'enfant grimpa sur la chaise, prit entre ses petits bras la statue qui, en dépit de ses dimensions restreintes, était lourde pour eux... L'infirme suivait avec anxiété ses mouvements. Il eut un soupir de soulagement quand il la vit descendre sans encombre... Elle s'approcha du lit et, sur les indications du comte, y appuya la statue en la renversant de façon qu'il pût écrire dessous.

Alors, avec beaucoup de peine et en s'y reprenant

à plusieurs fois, il réussit à tracer, avec le petit bout de crayon d'Ourida, les mots suivants ·

« Au cas où l'on empêcherait le notaire, que j'ai l'intention de demander, d'arriver jusqu'à moi, j'écris ici mes dernières volontés :

« Je lègue à ma petite-nièce Ourida de Varouze, fille de mon cher neveu Gérault, la partie de la forêt dite « les Hautes Buttes » et la ferme de la Hêtraie, à son frère Etienne une somme de cinq cent mille francs et le château de la Roche-Soreix avec ses dépendances et ses meubles, sauf ceux acquis depuis mon second mariage.

« Tout le reste de ma fortune, meubles et immeubles, appartiendra à ma fille Lea.

« Ce testament annule toutes dispositions prises antérieurement en faveur de la comtesse de Varouze et de son fils. »

Il signa, data, à grand-peine... Le crayon échappa à ses doigts raidis, comme il traçait la dernière lettre de son nom.

Il relut à mi-voix ces volontés suprêmes, inscrites sur le marbre en lettres fines et tremblées... Puis il dit à Ourida qui le regardait avec surprise :

— Ecoute-moi bien, enfant, et souviens-toi... Je viens d'écrire là mon testament, par lequel je donne à toi et à ton frère, que l'on retrouvera bientôt, je l'espère bien, une partie de ma fortune. Si, par hasard, j'étais empêché de faire ce que je voudrais pour toi, c'est-à-dire te prendre près de moi, te rendre bien heureuse, ma chérie, n'oublie pas ce que j'ai écrit ici, et quand tu seras devenue jeune fille, capable d'agir et de te défendre, sers-toi de ce testament pour te faire rendre justice, ainsi qu'à Etienne. Va voir un notaire, un avocat, raconte-lui ce que je te dis là. Il te donnera des conseils et te dira ce qu'il faut faire pour que tu entres en possession de ton bien.

Ourida l'écoutait avec attention, en attachant sur lui ses beaux yeux éclairés de vive intelligence.

Il demanda, en la couvrant d'un regard d'affection émue :

— M'as-tu compris, petite mignonne?

— Oh! oui, mon oncle!

— Mais surtout, ne parle de cela à quiconque, tant que tu ne seras qu'une pauvre petite fille incapable de lutter contre... une personne très habile. Il ne faut pas que... cette personne puisse soupçonner l'existence de ceci...

Son doigt tremblant se posait sur le dessous de la statue.

— ... Sans quoi, elle pourrait peut-être le faire disparaître. N'en parle que lorsque tu seras grande, tout à fait jeune fille, je le répète, et seulement à quelqu'un de très sûr, capable de t'aider, de te soutenir.

— Oui, mon oncle.

— Maintenant, reporte cela, ma petite fille.

Quelques instants plus tard, la statue — c'était celle de la Justice, par un heureux présage — se trouvait remise en place... M. de Varouze, qui suivait l'opération avec des yeux inquiets, eut un nouveau soupir de soulagement.

« Allons, voilà qui est fait, murmura-t-il. Il y a quelques chances qu'on n'aille pas découvrir ce testament là-dessous... Enfin, je n'avais pas le choix. C'est un risque à courir, au cas où je ne pourrais pas exprimer d'autre manière mes volontés. »

Ourida s'était rapprochée du lit... Le comte étendit

sa main frissonnante et la posa sur les boucles soyeuses.

— Allons, retourne maintenant là-bas, petite chérie... pas pour longtemps, car j'espère bien pouvoir changer ton existence. Va... n'oublie pas... et prie bien pour ton vieil oncle.

L'enfant avança son front sur lequel M. de Varouze mit un long baiser. Puis elle baissa la flamme de la veilleuse, que le comte lui avait fait lever afin de pouvoir écrire... Après quoi, elle quitta la chambre et alla chercher dans un coin du fumoir la lampe qu'elle y avait cachée en arrivant. Quand elle l'eut allumée, celle qui était, comme le châtelain, la prisonnière d'Angelica, reprit le chemin de sa geôle, la triste maison de Mahault d'où, le lendemain, partirait le corps sans vie de la pauvre et douce Medjine.

Après le départ d'Ourida, la surexcitation qui avait donné au malade des forces factices tomba subitement, faisant place à une faiblesse telle que, pendant un long moment, M. de Varouze perdit presque connaissance... Et quand celle-ci lui revint, les douloureuses, les atroces pensées affluèrent de plus belle, martyrisant le cerveau de cet honnête homme qui voyait s'effondrer toute sa confiance, tout son amour dans un abîme dont il redoutait de sonder les noires profondeurs.

VI

Dans la matinée du lendemain, Mme de Varouze, après avoir été jeter un coup d'œil sur son mari qui dormait, — ou plutôt feignait de dormir, — monta au second étage et alla frapper à la porte de Mlle de Francueil... Celle-ci, depuis deux jours, était fort souffrante. Cependant, ce matin, Angelica la trouva debout, déjà habillée, la physionomie pâle et fatiguée.

— Ah! je suis enchantée de voir que vous allez mieux, chère mademoiselle, dit la châtelaine avec son hypocrite amabilité.

— Un peu mieux, en effet, madame... Aussi puis-je reprendre aujourd'hui les leçons de Lea.

— Très bien... Et je vous demanderai aussi de vous occuper de la petite Claire. Elle a été malade ces jours-ci, à la suite du saisissement causé par la mort de sa mère... Brigida l'a soignée de son mieux. Mais cette besogne supplémentaire la fatigue beaucoup. Aussi ai-je pensé à vous pour l'aider, la suppléer dans cette tâche de charité près de la pauvre petite orpheline...

Mlle de Francueil dit sans empressement :

— Je suis à votre disposition.

— Eh bien! alors, mademoiselle, commencez tout à l'heure... allez voir si l'enfant n'a besoin de rien. Mais défendez-lui encore de sortir de sa chambre. Les porteurs vont venir vers dix heures chercher le cercueil pour les obsèques; il est inutile que la pauvre petite assiste à ce triste départ.

Là-dessus, Mme de Varouze quitta l'institutrice, qui se prépara aussitôt pour se rendre à la maison de Mahault.

A la suite de son expédition nocturne, Ourida avait été reprise par la fièvre. Elle vit avec soulagement, au lieu du mauvais et sournois visage de Brigida, la belle physionomie froide de Luce. Tout aussitôt, elle s'informa :

— Oh! dites, mademoiselle, a-t-on des nouvelles d'Etienne?

— Hélas! non, ma pauvre petite!

— Alors, c'est qu'on ne le retrouvera jamais!

Et de grosses larmes remplirent les yeux de l'enfant.

Mlle de Francueil, dont une profonde émotion adoucissait le regard, se pencha vers elle et mit un baiser sur son front brûlant.

— Il n'y a encore rien de perdu, ma chère petite! Il faut le temps de faire les démarches nécessaires.

— Mais s'il est malheureux, pendant ce temps-là?... Oh! mademoiselle, cela me fait tant de chagrin quand j'y pense! Et maman... ma chère maman qui est retournée près du bon Dieu!

En quelques paroles émues, Luce essaya de consoler l'enfant. Puis, quand celle-ci fut un peu calmée, elle s'occupa de sa santé, alla chercher de la tisane, mit un peu d'ordre dans les belles boucles emmêlées. C'était là tout ce qu'elle pouvait faire pour la pauvre petite orpheline, reléguée dans cette triste chambre où tout manquait, à peu près.

Comme elle allait se retirer, l'enfant demanda d'une voix tremblante :

— Mademoiselle... maman est-elle toujours là?

Son doigt se tendait dans la direction de la grande chambre.

Mlle de Francueil prit la petite main moite et brûlante, en répondant avec douceur :

— Non, ma petite fille. Mais son âme, sa pauvre âme qui a beaucoup souffert, je m'en doute, est toujours ici, veillant sur vous... Allons, restez bien tranquille, ne bougez pas de votre lit, surtout. Probablement, je reviendrai cet après-midi.

Ourida murmura, en levant sur elle un regard plein de reconnaissance :

— Vous êtes très bonne, mademoiselle... et je vous aime bien.

Mlle de Francueil, en sortant de la chambre, alla entrouvrir la porte de la grande pièce où avaient, jusqu'à ces derniers jours, habité Medjine et ses enfants... Le cercueil était là, recouvert d'un drap noir. Deux bougies, allumées par Brigida la veille au soir, s'étaient depuis longtemps consumées.

L'institutrice s'avança un peu et jeta un long coup d'œil autour d'elle. Ici avait vécu, était morte la triste jeune femme aux yeux si doux, trop souvent pleins d'angoissantes pensées. Qui était-elle? Quel mystère douloureux existait là? Il fallait qu'elle et ses enfants représentassent un danger pour Mme de Varouze puisque celle-ci prenait tant de précautions pour dissimuler leur véritable identité?

Puis, encore, ne pouvait-on penser que la disparition du petit Etienne avait été préparée par ses soins?

Mlle de Francueil songea amèrement :

« Pauvres êtres, ils sont, comme moi, entre les mains de cette femme. Hélas! je ne puis rien pour eux! »

Elle murmura une prière et sortit de la pièce. En revenant vers le château, sa pensée ne s'arrêta pas sur l'énigme que représentait pour elle cette famille « recueillie » par la châtelaine. Luce avait toujours été une nature hautaine, réservée, peu curieuse. Les souffrances morales endurées depuis dix ans n'avaient fait qu'accentuer cette tendance de son caractère. Aussi fallait-il que l'étrangère et ses enfants fussent, comme elle, des victimes d'Angelica pour qu'elle s'intéressât à eux. Mais du moment où elle se trouvait impuissante à combattre l'injustice dont elle devinait qu'ils étaient l'objet, elle ne cherchait pas à connaître les motifs de celle-ci.

A l'heure où Luce revenait ainsi vers le château, Mme de Varouze, prévenue par Martin que son mari était réveillé, entrait dans la chambre du malade.

En la voyant approcher, il se raidit pour ne pas laisser voir son affreux émoi... Et, avec un long frémissement intérieur, il la laissa mettre ses lèvres sur son front :

Doucement, elle s'informa :

— Voyons, comment vous trouvez-vous, mon ami? Vous avez dit à Martin que vous aviez très peu dormi?

— En effet... Et je me sens toujours d'une incroyable faiblesse.

— Vous vous obstinez à ne prendre aucun fortifiant, mon pauvre Marcien! Allons, soyez raisonnable, laissez-moi vous soigner comme je le désire...

— Dites au docteur Blaisac de venir me voir. Nous verrons ce qu'il pense de mon état et s'il trouve quelque médicament pour y remédier.

Angelica eut une légère contraction des lèvres. Mais elle répondit sans hésiter :

— Soit, mon ami... Le docteur est, je le crois, un trop excellent homme pour vous garder rancune de n'avoir plus voulu de lui pendant quelque temps. Tout à l'heure, je me rends à Champuis, où a lieu un enterrement. J'en profiterai pour passer chez lui.

— En même temps, faites dire à Me Roux de venir me voir aujourd'hui, car j'ai quelques conseils à lui demander.

Cette fois, une lueur brilla dans le regard de la comtesse et les paupières mates ne se baissèrent pas assez vite pour que M. de Varouze, qui considérait attentivement sa femme, ne pût l'apercevoir.

Elle répondit néanmoins avec le même calme doucereux :

— Votre commission sera faite, Marcien... Voyons, avez-vous besoin de quelque chose avant que je sorte?

— Non, de rien... Vous allez à un enterrement, m'avez-vous dit? Qui donc est mort, à Champuis?

— Ce n'est pas à Champuis... c'est ici...

— Comment, ici?

Elle feignit d'hésiter, puis répondit :

— Je ne vous le disais pas dans la crainte de vous impressionner un peu... mais je ne voudrais pas non plus que, si vous veniez à le savoir, vous m'adressiez des reproches... des accusations comme celles qui m'ont déjà si douloureusement froissée, il y a quelque temps... Aussi vais-je vous dire franchement ce qui en est : Mme Lambert est morte, il y a deux jours, du saisissement d'apprendre que son fils était perdu.

Le comte dit d'une voix un peu rauque, sans cesser d'attacher son regard attentif sur le tranquille visage de sa femme :

— Comment, perdu?

— Il jouait dans l'après-midi près de la maison. Quand Brigida est venue le chercher pour le faire rentrer, il avait disparu.

— Mais c'est invraisemblable, cela! On devait le retrouver dans les jardins, dans le parc!

— J'y ai fait faire toutes les recherches possibles... J'ai envoyé prévenir les gardes, au cas où il aurait pu — je ne sais comment, par exemple! — se faufiler hors du parc, jusque dans la forêt. Enfin, la gendarmerie est avertie... Jusqu'ici, nous n'avons pas de nouvelles. Mais comme vous, Marcien, je trouve cette disparition bien singulière, et il m'est venu à ce sujet une idée...

Le comte, voyant qu'elle s'interrompait, demanda d'un ton saccadé :

— Laquelle?

— Eh bien! cette jeune femme... nous ne savons qui elle est, en réalité. Par moments, elle prétendait être la femme de Gérault; à d'autres, elle ne soutenait plus que faiblement cette assertion. Elle n'avait pas de papiers et n'a jamais pu ou voulu m'indiquer quelqu'un, à Constantinople, capable de me renseigner sur elle. Ceci était déjà suffisant, me semble-t-il, pour la rendre fort suspecte... Aussi avais-je, ces jours-ci, formé le projet, après vous avoir consulté, de demander encore à M. Clesini son aide, pour essayer de connaître la vérité sur ce point, comme il l'a fait naguère pour le pauvre Gérault... Mais maintenant que la malheureuse est morte, ces démarches ne présentent peut-être plus la même utilité?

Elle se tut un instant, attendant une réponse ou une remarque de son mari... Mais M. de Varouze continua de garder le silence, en la regardant avec une sorte d'âpre attention qui devait la gêner quelque peu, car elle baissa légèrement ses paupières en continuant :

— Pour en revenir à notre sujet, je constate donc que cette étrangère restait enveloppée de mystère... et que l'enfant a fort bien pu être enlevé par son père, soit par quelqu'un d'autre. Les pénibles drames de famille, les tragédies domestiques plus ou moins terribles existent aussi bien de nos jours qu'autrefois. Mme Lambert a pu être victime de l'une d'elles... Et sans doute quelque peu honorable secret se cachait-il là, puisqu'elle n'a jamais voulu me faire connaître la vérité, à moi qui l'ai recueillie, entourée de soins.

M. de Varouze dit avec une douloureuse ironie :

— Vous avez beaucoup d'imagination. Moi, je crois que la chose est infiniment plus simple.

— Comment cela?

— Je crois... je suis sûr que cette femme était la veuve de Gérault.

Angelica joignit les mains d'un geste pathétique.

— Encore cette idée, Marcien! Mais, mon ami, sur quoi fondez-vous cette étrange certitude?... Mme Lambert n'avait pas le moindre papier, le moindre objet pouvant appuyer ses incroyables prétentions!

— Tout cela se perd... ou se vole.

Angelica ne put réprimer un léger tressaillement et ses yeux eurent un éclair sinistre.

Cependant, sa voix resta calme en répliquant :

— C'est vous, maintenant, qui laissez aller un peu loin votre imagination, mon ami! Cependant, pour vous rassurer tout à fait, je ferai faire l'enquête à Constantinople par les soins de Ricardo Clesini.

— Ne vous donnez pas cette peine, je la ferai faire moi-même... Quant à la petite fille, je suppose que vous ne la laissez pas seule là-bas, dans cette maison déserte?

— Mais non, mon ami. Brigida ou Mlle Luce ne la quittent pas, à tour de rôle... Et quoique ignorant tout de son origine, je compte néanmoins la garder ici, avec votre approbation, lui faire donner une éducation et une instruction qui lui permettent de gagner plus tard honnêtement sa vie.

— Nous verrons... Pour le moment, ne la laissez pas dans la maison de Mahault. Qu'elle vienne habiter ici, qu'on la soigne bien... Vous entendez, Angelica, je le veux!

Il la regardait avec une sorte de farouche colère. Un sourire séraphique entrouvrit les lèvres roses, qui répliquèrent doucement :

— Mais, mon ami, vous êtes le maître et, moi, je suis toujours prête à vous être agréable. J'espère que vous ne regretterez pas d'avoir introduit cette petite étrangère sous notre toit. Allons, nous recauserons de cela plus tard... Vous voilà tout agité, mon pauvre Marcien... Je vais maintenant m'habiller, car, dans un instant, le clergé arrivera. Donc, à tout à l'heure! Et ne vous tourmentez pas l'imagination avec des idées invraisemblables... complètement folles, mon ami chéri.

Sa main se posa un instant, caressante, sur le front glacé. Puis elle sortit de la chambre, souriant encore — mais de quel sourire mauvais, qui accompagnait si bien la lueur menaçante des prunelles!

Tandis qu'elle passait le seuil, M. de Varouze dit de sa voix haletante, un peu rauque :

— Demandez donc à M. le curé de monter me voir un de ces jours. Il y a un temps infini qu'il n'est pas venu à la Roche-Soreix — ou du moins qu'on ne l'a pas fait entrer chez moi.

Elle se détourna à demi, en répondant gracieusement :

— Bien, mon ami. Cela fait trois commissions pour vous. Je n'en manquerai aucune, soyez-en sûr.

***

Seul maintenant, M. de Varouze retombait dans ses martyrisantes pensées. Il venait de jouer le tout pour le tout... et la partie était vraiment terrible, il le pressentait bien. Pour la première fois, dans les yeux d'Angelica, il avait vu un reflet de l'âme fourbe, sans scrupule, dont si longtemps il était resté la dupe. Qu'allait faire cette femme maintenant démasquée? Comment se tirerait-elle de la situation difficile où elle se trouvait acculée?

Une seule réponse, implacablement, se présentait à l'esprit de l'infirme :

« Elle continuera de me tenir séquestré. Jamais je ne verrai le prêtre, le médecin, le notaire, que j'ai demandés aujourd'hui... Dans mon état de santé, je n'ai plus beaucoup de temps à vivre... Quelques mois peut-être, et même moins, si la souffrance morale que j'endure avance le terme de mon existence. Ensuite, elle sera libre... son fils et elle auront une partie de ma fortune... Et la pauvre petite fille de Gérault, cette délicieuse Ourida, continuera d'être malheureuse, traitée en paria... et le fils de Gérault, le futur comte de Varouze, sera réduit à je ne sais quel sort... livré peut-être à des misérables... Oh! mon Dieu, quelles tortures que de telles pensées! »

Le malheureux tordit ses mains décharnées, en

laissant échapper un gémissement. Puis son regard se porta sur la statue de la Justice qui gardait le dépôt de ses dernières volontés. Il songea :

« Pourvu qu'on ne découvre rien! Mais je n'avais pas à choisir. Il fallait tenter cette chance... Et il faudrait un hasard pour que quelqu'un retourne cette statue. »

Puis sa pensée revint à Angelica... la sirène qui l'avait si bien ensorcelé. Comme elle savait mentir! Quel incroyable, quel terrible sang-froid! Ah! qu'il avait raison, le pauvre Gérault! Combien il avait vu clair! Et avec lui cette vieille Agathe si dévouée, que son maître avait sacrifiée — il s'en apercevait maintenant — à l'astucieuse veuve de Félix d'Artillac.

Puis, encore, les autres domestiques fidèles — trop clairvoyants et trop honnêtes sans doute — qu'elle avait peu à peu éliminés... avec quelle infernale adresse!

Pourtant, combien il l'avait aimée, cette femme! Que n'avait-il pas fait pour elle et pour son fils, ce Lionel qui lui ressemblait physiquement, qui avait ces mêmes allures félines, ces mêmes airs de câlinerie enveloppante... et qui était peut-être, comme elle, un fourbe et un traître!

Ainsi, dans ces atroces pensées, dans cette détresse et cette attente pleine d'angoisse des décisions que prendrait sa femme, le pauvre homme vit passer les heures. En revenant du village, Angelica vint lui apprendre que le notaire était absent aujourd'hui, que le curé viendrait le lendemain et le docteur Blaisac également.

« Je le pensais bien! songea M. de Varouze dont le cœur se serra. Demain, on me racontera autre chose... à moins qu'on ne me dise carrément que je suis désormais privé de tout contact avec le dehors.

Si mes soupçons ne me trompent pas, il faudra bien qu'elle en arrive là un jour ou l'autre. »

Regardant en face la comtesse, qui ramenait sur lui, d'un geste plein de sollicitude, la couverture un peu débordée, le malade s'informa :

— Pourquoi n'avez-vous pas dit à Blaisac de venir aujourd'hui ?

— Je le lui ai demandé, mon ami. Il s'est alors informé de votre état et m'a déclaré qu'ayant de nombreuses visites à faire, assez loin dans la campagne, il préférait venir demain afin d'avoir plus de temps pour vous examiner. Mais il m'a conseillé d'employer dès aujourd'hui un nouveau remède dont il a obtenu le plus grand bien dans des cas semblables au vôtre. L'ayant trouvé chez le pharmacien de Champuis, je l'ai rapporté. Si vous le voulez, nous l'essayerons ce soir, pour vous donner une nuit meilleure.

— Non, rien... je ne veux rien avant d'avoir vu le docteur !

Les yeux d'Angelica brillèrent pendant quelques secondes, et sa bouche se tordit légèrement.

— A votre guise, mon ami... Mais laissez-moi vous dire que vous devenez un malade bien capricieux !

— Après avoir été longtemps trop facile, trop crédule... Peut-être ma santé serait-elle améliorée maintenant si je m'étais révolté plus tôt contre votre méthode de traitement.

— Mais peut-être, aussi, n'existeriez-vous plus aujourd'hui !

Ces mots glissèrent avec une intonation singulière entre les lèvres roses. M. de Varouze frissonna un peu. Était-il fou en croyant y saisir un double sens... un terrible double sens ?

Il riposta, en essayant de conserver son calme :

— Gardons chacun notre opinion là-dessus... mais laissez-moi me faire soigner à mon idée. Veuillez envoyer dès cet après-midi une dépêche au docteur Hardy, pour qu'il vienne me voir demain ou après-demain. Blaisac s'entendra avec lui en consultation.

— Je n'ai d'autre opinion que la vôtre, Marcien. Quelque pénibles que me soient vos réflexions et votre étrange manière d'agir, je ne veux pas oublier que vous êtes un malade et que, jusqu'à ces derniers temps, j'ai toujours été l'objet de votre confiance absolue, de votre plus entière tendresse.

Elle sortit sur ces mots, prononcés avec une douceur attristée, une émotion profonde, en apparence... Et M. de Varouze, serrant contre sa poitrine haletante ses mains qui tremblaient d'indignation douloureuse, songeait en frémissant :

« Quelle duplicité! Quelle infâme duplicité! Ah! mon Dieu, ayez pitié de moi... car maintenant cette femme me fait peur! »

*
* *

Dix coups venaient de s'égrener à la pendule de marbre et bronze. La veilleuse étendait son faible halo de lumière sur la table de nuit, sur la tête aux cheveux gris enfoncée dans l'oreiller... M. de Varouze ne dormait pas. Il essayait de s'engourdir pour ne plus penser... pour que, pendant un peu de temps, les terribles hantises s'éloignassent de lui. Mais, tandis que la faiblesse terrassait le corps épuisé, le cerveau, surexcité, ne pouvait trouver le repos... Et, de nouveau, se présentaient à lui les insolubles problèmes qui l'avaient occupé toute cette journée.

Comment échapper à Angelica et à ses complices?

Comment protéger Ourida? Comment retrouver Etienne, l'enfant dont il voulait faire l'héritier du domaine patrimonial?

« Prisonnier... je suis prisonnier! » se répétait-il désespérément.

Et il frissonnait au souvenir de l'idée terrible qui, plusieurs fois en cette journée, avait effleuré son esprit.

Mais non, Angelica n'avait aucun avantage à commettre un crime. Dans peu de temps, elle serait veuve, libre, sans aucun risque, sans avoir eu d'autre peine que d'attendre encore quelques mois au plus... car il sentait bien que ses forces physiques et morales étaient à bout.

Ah! l'affreuse chose d'en être arrivé à rechercher si la femme tant aimée encore peu de temps auparavant, la femme comblée de bienfaits avait intérêt à le laisser mourir de mort naturelle, ou bien à hâter cette fin!

Il étouffa une plainte, en frémissant de douleur.

A cet instant, il entendit ouvrir doucement la porte du cabinet où couchait Martin. Pensant que c'était le valet de chambre qui avait oublié de remplir quelqu'un de ses offices, le malade ne tourna pas la tête. Des pas glissèrent sur le tapis... des mains, presque aussitôt, s'abattirent sur le comte, l'immobilisèrent... les unes tenant les jambes, les autres la tête et les épaules. Il sentit avec terreur qu'on enfonçait une aiguille dans sa chair, qu'on y injectait un liquide... Puis l'aiguille fut retirée, les mains lâchèrent l'infirme, les pas s'éloignèrent, la porte se referma, tandis que le malheureux bégayait :

— Assassins! Assassins!

Puis il sentit qu'une torpeur montait à son cerveau et, un instant après, il n'était plus qu'une masse inerte, plongée dans un mortel sommeil.

VII

Les yeux rougis, la mine accablée, Mme de Varouze reconduisait jusqu'au vestibule le docteur Blaisac. Celui-ci venait d'examiner le châtelain que son valet de chambre, en entrant vers huit heures chez lui, avait trouvé sans vie. Et il concluait, de cet air péremptoire qui cachait un esprit influençable entre tous :

— M. de Varouze a succombé à une embolie. Comme vous me le rappeliez tout à l'heure, madame la comtesse, j'avais prévu cette éventualité. C'est une suite assez fréquente de l'infirmité dont se trouvait atteint M. de Varouze.

Angelica tordit légèrement ses mains, en murmurant d'une voix que les sanglots étouffaient :

— Ah! si ce pauvre ami avait voulu se laisser soigner comme je le lui demandais, peut-être aurions-nous pu éviter cet accident! J'aurais dû insister davantage... le forcer même...

— Ne vous faites pas de reproches, madame la comtesse. Vos soins admirables ont certainement prolongé l'existence de M. de Varouze et, en tout cas, ont largement contribué à soulager ses souffrances. Mais, je vous le répète, un tel accident était à craindre et rien n'aurait pu être fait pour le prévenir.

Comme le médecin quittait le château, l'abbé Lebrun, curé de Champuis, que la comtesse avait fait appeler, y arrivait à son tour. Mme de Varouze, en le voyant, dit douloureusement :

— Hélas! monsieur le curé, tout est bien fini pour mon pauvre mari; vous ne pourrez plus que prier près de lui.

L'abbé Lebrun, nommé deux ans auparavant à la cure de Champuis, était un jeune prêtre timide et dépourvu d'expérience. D'ailleurs, de plus avisés, de plus méfiants que lui n'auraient sans doute pas trouvé matière à suspicion dans la conduite de l'habile châtelaine... Tout à l'heure encore, elle avait édifié la petite population de Champuis en suivant à pied le convoi de l'étrangère recueillie par elle. On savait qu'elle payait les frais de l'enterrement et qu'elle gardait à sa charge la petite orpheline. Ces gestes charitables achevaient de consolider l'excellente réputation que la comtesse de Varouze avait réussi très vite à se faire dans tout le pays et — suprême adresse — parmi tous les partis, qu'elle savait ménager, se concilier avec une astuce sans pareille.

Dans le courant de la matinée, la toilette du défunt achevée, deux religieuses venues du village établies près de lui, Angelica se retira dans sa chambre, où Brigida vint presque aussitôt la rejoindre.

Mme de Varouze s'était étendue sur une chaise longue. Elle avait les traits un peu tirés, les yeux légèrement cernés, et se laissait aller sur les coussins dans une attitude de grande fatigue.

— Tu as besoin de te reposer, ma petite belle, dit la femme de charge en passant une main caressante sur les cheveux noirs que la comtesse avait détachés et réunis en une natte soyeuse. Mais, maintenant, te voilà tout à fait tranquille... Tu es libre, tu disposes de toute la fortune, puisque Lea est pour bien des années encore sous ta tutelle... Oui, vois-tu, comme je te le disais hier, mieux valait brusquer le dénouement, qui aurait pu se faire attendre des mois... car « il » avait encore des forces. Des mois pendant lesquels tu aurais été retenue ici, dans ce triste château, obligée de jouer une insupportable comédie, de remplir un rôle de geôlière, de trouver des prétextes pour empêcher qu'on l'approche, au risque d'exciter les soupçons... Nous avons simplement avancé le terme d'une vie qui n'était utile à personne... et qui nous gênait d'autant plus que maintenant il voyait clair.

Quelques frémissements coururent sur le fin visage d'Angelica. Mais sa voix resta calme en répliquant :

— C'est lui qui l'a voulu. S'il m'avait gardé sa confiance, je n'aurais pas usé de ces moyens violents qui me sont fort désagréables... Mais il me devenait impossible d'agir autrement.

— Oui, nous devions en arriver là... Enfin, tout s'est bien passé. Maintenant, nous sommes tranquilles de ce côté-là... Il ne restera plus à liquider que l'affaire « Lambert », de peu d'importance désormais.

Un sourire mauvais entrouvrit les lèvres d'Angelica.

— Oh! oui... Et j'ai déjà un projet pour l'éducation de la petite Claire. Je t'en ferai part quand nous serons sorties de ce tracas des funérailles.

— Je pense que Mademoiselle a dû aller la voir, cette petite peste, et s'est occupée d'elle. Quant à moi, j'ai bien autre chose à faire!... Tant pis si elle souffre un peu de la faim ou de la soif! Ça lui apprendra à venir de si loin pour chercher à prendre la fortune de nos enfants!

Puis, désignant des lettres décachetées sur une petite

table, la mégère ajouta, en changeant subitement l'intonation de sa voix :

— As-tu un mot de Lionel?

— Oui. Oh! il est enchanté! Le domaine princier est magnifique, l'hospitalité somptueuse, le prince Falnerra se montre aimable pour lui, et la princesse est charmante, comme toujours.

— Allons, tant mieux! Le voilà bien lancé, notre Lionel. Avec ça, et le demi-million dont il va hériter de son beau-père, il fera un beau mariage dans quelques années, d'autant qu'il saura bien s'y prendre, avec ses jolies manières et ses yeux câlins, pareils aux tiens, ma petite Angelica. Oh! de celui-là, on peut dire qu'il est tout le portrait de sa mère!

Angelica eut un sourire approbateur. Puis elle fit observer :

— Heureusement, son séjour chez le prince allait se terminer cette semaine. La dépêche lui annonçant la mort de son beau-père ne lui paraîtra donc pas malencontreuse... et il n'éprouvera que la satisfaction d'un dénouement qui va nous donner à tous une plus grande liberté d'action.

Elle connaissait bien son fils, la femme qui prononçait avec assurance ces paroles cyniques. Comme venait de le dire Brigida, Lionel d'Artillac ressemblait à sa mère, physiquement et moralement. Tout jeune, il avait reçu d'elle les plus savantes leçons d'astuce, et il avait acquis à son exemple le mépris de tous les scrupules. Sous sa direction, il avait appris à cajoler, à entourer d'affection menteuse l'homme qui le traitait comme un fils et dont il souhaitait la mort. Il s'était associé aux manœuvres d'Angelica pour écarter du comte le souvenir de Gérault, pour aviver son ressentiment à l'égard de l'absent et, plus tard, pour empêcher qu'on connût la véritable personnalité des étrangers « recueillis par la comtesse »... Le génie de l'hypocrisie, du crime sournois, de la sape lente et patiente, il le possédait comme sa mère, ce Lionel aux yeux doux... et comme elle encore, il était pétri d'infernale ambition, avide de richesse, de considération, de relations brillantes. Aussi Angelica pouvait-elle dire en toute vérité, quand elle parlait de lui avec sa complice :

— Notre Lionel ira loin et j'aurai tout lieu d'être fière de lui!

Ignorante du drame qui venait de lui enlever son seul protecteur — bien impuissant, hélas! — Ourida avait passé dans son triste logis une nuit agitée. Au matin seulement, elle s'endormit et, quand Mlle Luce vint lui apporter un bol de lait, elle ne s'était pas réveillée encore. Mais, presque aussitôt, elle ouvrit les yeux et eut un vague sourire en voyant l'institutrice penchée vers elle.

Aux questions de celle-ci, l'enfant répondit qu'elle se sentait mieux ce matin. Puis, quand elle eut bu le lait, elle demanda :

— Est-ce que je pourrai sortir de ma chambre aujourd'hui, mademoiselle, et aller un peu dehors?

— Cela, je n'en sais rien, ma petite Claire. Il faudra que je m'en informe près de la comtesse.

— Oh! oui, s'il vous plaît, mademoiselle! C'est si triste, ici, toute seule!

Un sanglot lui coupa la parole :

Mlle de Francueil mit un baiser sur son front.

— Allons, soyez courageuse, ma chère petite. J'espère bien qu'on ne va pas vous laisser indéfiniment seule ici. Mais Mme de Varouze est occupée en ce moment et ne pense probablement pas à vous. Dès que je vais la voir, je vous rappellerai à son souvenir.

Luce n'apprit pas à l'enfant, ce matin-là, que le comte était mort. Elle se souvenait de la mystérieuse entrevue qu'Ourida avait dû avoir avec M. de Varouze pendant l'absence de la comtesse et songeait : « Si la pauvre petite avait pensé trouver là un refuge, une protection, il sera toujours temps de lui faire connaître que, maintenant, plus que jamais, cette femme est complètement maîtresse ici. »

Pendant le déjeuner, Mlle de Francueil s'informa près de la châtelaine s'il était permis à Ourida de quitter sa chambre pour prendre un peu l'air dans le jardin.

Angelica répondit, après un instant de réflexion :

— Oui, mais à la condition expresse qu'elle reste aux alentours de la maison... Je vous charge de veiller à cela, mademoiselle... et de lui dire qu'en cas de désobéissance elle serait très sévèrement punie... comme elle sait que j'ai coutume de le faire.

Après un court silence, la comtesse ajouta :

— Lui avez-vous fait connaître la mort de mon pauvre mari?

— Non, madame.

— Pourquoi cela?

Avec son air de froide indifférence, Mlle de Francueil répliqua :

— Je n'avais aucune raison pour la lui apprendre. Vous me demandez de soigner cette enfant, je le fais, voilà tout. Mais je ne m'occupe pas de lui raconter ce qui se passe au château ou ailleurs.

Angelica eut un éclair railleur dans le regard.

— Bien, bien, chère mademoiselle, dit-elle doucereusement. Je sais que vous êtes la discrétion même et je vous en suis fort reconnaissante... Mais vous pouvez très bien faire connaître à Claire la grande perte que je viens de faire... et vous lui direz aussi que je compte la garder à la Roche-Soreix, me chargeant de la faire élever, de l'entretenir, jusqu'au jour où elle pourra gagner sa vie.

D'un ton dolent, la châtelaine ajouta :

— J'oublie que sa mère, la pauvre femme, n'était qu'une aventurière et qu'elle-même, cette petite créature perfide, a essayé de circonvenir mon cher mari. Ainsi donc, je ferai pour elle tout ce que me commande la charité... en vous demandant probablement d'être ma collaboratrice, chère mademoiselle.

Un pli de mépris souleva la lèvre de l'institutrice. Luce pensa, le cœur gonflé de dédaigneuse irritation :

« A quoi te sert-il, misérable femme, de jouer avec moi cette infâme comédie? Tu dois pourtant bien comprendre que je te connais... que je sais de quoi tu es capable? »

Vers deux heures, Mlle de Francueil retourna vers la maison de Mahault. Elle fit lever Ourida et l'installa devant la maison, en un endroit ensoleillé. Puis elle chercha comment lui apprendre la nouvelle qui, elle le sentait, allait bouleverser la pauvre petite. Mais mieux valait que ce fût elle qui lui portât ce coup, plutôt que la brutale et haineuse Brigida.

Ourida lui en fournit l'occasion, en disant de sa petite voix un peu affaiblie, avec un charmant regard de reconnaissance :

— Je suis bien contente que vous vous occupiez de moi, mademoiselle, et je voudrais tant que ce soit toujours comme cela! Si Brigida pouvait donc être très occupée longtemps encore!

— Elle en aura tout au moins pour quelques jours, certainement. Il y aura fort à faire, à cause de l'enterrement.

Sans curiosité, Ourida fit cette question machinale :

— Quel enterrement?

— C'est vrai, ma petite Claire, vous ne savez pas que M. de Varouze est mort cette nuit.

L'enfant devint toute pâle et ses prunelles se dilatèrent sous l'empire de la stupéfaction douloureuse. Elle bégaya :

— Mort? Il est mort aussi, l'oncle de papa?

Puis ses paupières se fermèrent, son corps frêle se pencha un peu et elle perdit un instant connaissance entre les bras de Luce.

Quand elle revint à elle, ses yeux se remplirent de larmes et elle murmura dans un sanglot :

— Maman! Maman! Plus personne! Je suis toute seule! Oh! maman!

Mlle de Francueil, dont les yeux se mouillaient, embrassa l'orpheline plus chaleureusement qu'elle ne l'avait fait jusqu'alors.

— Je serai là, ma pauvre petite, et, bien que je sois fort peu de chose ici, je pourrai du moins vous aimer.

D'un geste spontané, Ourida lui jeta ses bras autour du cou et se serra contre elle.

— Oh! oui, mademoiselle! Et moi, je vous aimerai bien aussi! Vous remplacerez un peu ma pauvre maman chérie... Je vous parlerai d'elle et de mon Tiennot... mon Tiennot qu'on ne retrouve toujours pas! Pourtant, ce n'est pas possible qu'il soit perdu pour toujours?

Le regard anxieux interrogeait l'institutrice, qui considérait avec émotion la charmante figure pâlie, entourée de magnifiques boucles fauves.

— Mais non, certainement, mon enfant. Un jour ou l'autre, la police le retrouvera et nous le ramènera.

— Mon pauvre petit Etienne! Pourvu qu'il ne soit pas malade! Pourvu qu'il ne soit pas mort, lui aussi!

— Allons, ne vous faites pas de ces idées, ma chère enfant! Tâchez d'être calme pour vous remettre bien vite. Nous reprendrons alors nos leçons, le travail vous distraira, vous empêchera de demeurer dans ces tristes pensées. Dites-vous surtout, ma chère petite, que votre maman est très heureuse maintenant... et qu'il y a des personnes, en ce monde, qui voudraient bien être à sa place.

Un soupir gonfla la poitrine de Luce, dont les yeux bleus prirent pendant quelques secondes leur teinte la plus sombre. Puis l'institutrice se leva, en ajoutant :

— Il faut que je retourne là-bas, car j'ai un travail à terminer. Si vous sentez la fraîcheur, vous rentrerez aussitôt, n'est-ce pas, ma petite Claire?

— Oui, mademoiselle. Mais, s'il vous plaît... oh! je vous en prie, vous ne répéterez pas à Mme de Varouze ni à Brigida ce que j'ai dit... sans faire attention?

— Quoi donc, petite fille?

En baissant plus encore la voix, Ourida expliqua d'un ton plein d'émoi :

— En parlant de M. de Varouze... j'ai dit... « l'oncle de papa »... Si « elles » le savaient, elles me puniraient... elles me tueraient peut-être. Et je ne voudrais pas mourir encore, parce que si Etienne revenait, il faudrait qu'il trouve quelqu'un pour l'aimer.

Mlle de Francueil se pencha pour serrer contre sa poitrine l'enfant toute frémissante.

— Ne craignez rien, ma chérie, je n'ai pas entendu... A ce soir, et dites-vous bien que vous avez en moi une amie.

Lentement, le front songeur, Luce reprit le chemin du château. Sans qu'elle le cherchât, elle venait d'entrevoir la vérité à ce cri échappé au douloureux saisissement de l'enfant... « L'oncle de papa »... Voilà donc pourquoi la pauvre femme et ses enfants avaient été relégués si soigneusement à l'écart... Et tout le reste s'éclairait à cette lueur... tout, y compris la disparition du petit Etienne, que la comtesse jugeait probablement dangereux pour ses desseins... y compris même, peut-être, la mort du châtelain...

Luce eut un frisson d'horreur à cette pensée.

« Je vais peut-être trop loin dans mes soupçons, se dit-elle. Mais pourtant plus d'une fois j'ai eu l'impression que cette femme était capable de tout pour atteindre un but fixé... Il m'apparaît en tout cas bien certain maintenant que M. de Varouze a été séquestré. De même, la pauvre Mme Lambert — ou soi-disant telle — se trouvait prisonnière dans la maison de Mahault. Tout ceci, évidemment, n'est pas sans concordance... et le plan de cette femme se montre clairement. »

Puis, avec une douloureuse amertume, l'institutrice conclut en elle-même :

« A quoi me sert-il de deviner cette odieuse intrigue, puisque je ne puis rien pour les malheureuses victimes? »

Dans l'escalier qui menait au second étage, Mlle de Francueil croisa la femme de charge qui descendait, une pile de linge sur le bras. De sa voix sèche, Brigida s'informa :

— Eh bien! Claire est-elle guérie, mademoiselle?

— Pas tout à fait encore, mais elle va mieux.
— Lui avez-vous appris que M. le comte était mort?
— Mais oui.
— Qu'a-t-elle dit?
— Rien du tout.
La réponse tomba, brève et hautaine, des lèvres de Luce.
Brigida glissa vers l'institutrice un regard mauvais, en ricanant légèrement.
— Vous ne voulez pas dire que ça lui a porté un fameux coup, à ce petit serpent qui avait réussi à se glisser un jour près du pauvre monsieur pour lui raconter des histoires... des mensonges... et qui espérait probablement l'avoir convaincu? Eh! c'est donc que vous êtes de connivence avec elle, mademoiselle?
Luce répliqua avec une dédaigneuse froideur :
— Je me suis déjà expliquée à cet effet avec Mme de Varouze. Veuillez donc m'épargner vos réflexions à ce sujet, je vous prie.
Et elle continua de monter, le front haut, en songeant qu'après tout elle préférait encore la grossière insolence de la servante à la douceur hypocrite de la maîtresse.
Brigida la suivit un instant des yeux, en marmottant :
— Oui, oui, on sait ce que tu penses... et que si tu pouvais, tu en dirais de belles sur nous! Mais on te tient, heureusement... on te tient bien, la belle Luce!

VIII

Maintenant, le comte Marcien de Varouze, dernier du nom, — du moins, on le croyait, — reposait dans le cimetière de Champuis, sous les dalles qui fermaient le caveau de sa famille. Presque chaque jour, la veuve s'y faisait conduire en voiture et priait un long moment, le front entre ses mains finement gantées de suède noir. Puis elle reprenait le chemin du château, respectueusement saluée au passage par les gens de Champuis et des alentours.

— Quelle femme parfaite! disait-on. Rien à lui reprocher! Elle a soigné admirablement son mari, peu facile pourtant, paraît-il, et semble le regretter fort sincèrement... Oui, il était vraiment bien tombé en l'épousant, M. de Varouze!

Aussi avait-on, dans le pays, manifestement approuvé le testament du défunt, par lequel celui-ci donnait en toute propriété à sa femme une maison de rapport, à Paris, évaluée trois cent mille francs. Ceci, joint à la somme d'un demi-million reconnue comme dot à Angelica, au moment du mariage, constituait à la veuve une jolie fortune complètement indépendante. Elle gardait en outre, comme tutrice, l'administration et la jouissance des biens, meubles et immeubles, revenant à sa fille mineure. Quant à Lionel, il héritait de cinq cent mille francs et d'une panoplie ancienne d'assez grande valeur que, tout enfant, il avait beaucoup admirée.

Ces dispositions testamentaires n'étaient pas une surprise pour la comtesse, car M. de Varouze les avait tracées en sa présence et — sans qu'il en eût conscience — sous son inspiration. Elle savait trop bien aussi que le pauvre homme n'avait pas eu — l'aurait-il voulu — les moyens matériels de les modifier... Rien n'était donc venu troubler sa secrète joie, dissimulée avec un art supérieur sous un air de doux accablement.

Avec son fils et Brigida, tous trois seuls dans son appartement, elle enlevait le masque et s'entretenait librement de ses projets d'avenir.

Elle avait décidé de s'installer à Paris, où elle louerait un petit hôtel. Dès que son deuil serait fini, elle entrerait dans la vie mondaine, pour sa propre distraction, et aussi pour préparer, selon ses vues, le mariage de ses enfants.

— La Roche-Soreix ne me verra probablement plus guère, ajoutait-elle. C'est assez des années que j'ai passées là-dedans! Maintenant, je veux vivre un peu et profiter de cette fortune bien gagnée.

Lionel approuvait chaleureusement.

— Oui, nous allons mener désormais une vie charmante! L'hiver à Paris, l'été sur une plage à la mode, l'automne chez des amis ayant château et chasse... Il faudra te faire inviter chez la princesse Falnerra, maman!

— Certes, j'y compte bien! Mais je procéderai avec discrétion, ces grandes dames n'aimant guère qu'on ait l'air de se jeter à leur tête.

— Oh! j'ai confiance en ton habileté... Du reste, la princesse est fort accueillante, dès qu'on lui plaît. Son fils est plus difficile à circonvenir. Assez fantasque, et très conscient de sa valeur, il tient les gens à distance et n'a que peu d'intimes, personnages très choisis, à l'égard desquels même il reste sur la réserve.

— Tu m'as dit cependant qu'il était aimable avec toi?

— Oui, à sa manière qui n'est pas celle de tout le monde. Tu as pu d'ailleurs en juger par toi-même durant son séjour ici... Vois-tu, je crois qu'il nous témoigne quelque intérêt simplement en souvenir de l'hospitalité que sa mère et lui ont reçue ici, après l'attentat... et peut-être surtout en reconnaissance du secours que leur apporta Gérault de Varouze, en cette circonstance.

Les yeux d'Angelica s'assombrirent.

— Je le crois comme toi, en effet... Mais il tient à nous d'attirer personnellement cette sympathie, d'autant plus précieuse que le prince ne la prodigue pas, ainsi que tu l'as remarqué. Voilà donc à quoi nous tendrons, au cours des années qui vont venir... car faire partie du cercle intime de personnalités aussi hautes que celles-là et aussi peu accessibles au vulgaire, c'est le meilleur brevet d'honorabilité... c'est aussi la perspective de quelque superbe union pour toi, et aussi pour Lea... Enfin, c'est la consécration suprême de notre intrusion dans la meilleure aristocratie dont mon mariage avec ton père fut le premier échelon et mon remariage avec le comte de Varouze le second degré.

Lionel inclina approbativement la tête.

— Tu vois très juste, ma chère mère... et tu auras en moi un auxiliaire enthousiaste... Mais à propos, dis-moi, que feras-tu de la petite Lambert?

— Je la laisserai ici avec Mlle Luce.

Lionel eut un mouvement de surprise.

— Avec Mlle Luce? Eh bien! alors, Lea?

— Mon cher, Lea ne peut s'habituer à elle, et j'ai décidé de lui donner une autre institutrice.

— Mais tu auras ainsi doubles frais!

Angelica laissa échapper un rire moqueur.

— Oh! Mlle de Francueil n'est pas difficile! Nous nous entendrons à bon compte... Et je ne pourrais trouver mieux qu'elle, au point de vue discrétion, capacités, etc. Elle fera l'instruction de la petite, elle lui apprendra tous ces travaux manuels dans lesquels elle excelle. Sous sa direction, Claire Lambert deviendra une habile ouvrière, qui me payera amplement ce que son entretien aura pu me coûter... Oui, fie-toi à moi pour trouver là encore mon profit!

— Eh! l'idée ne me paraît pas mauvaise! Qu'en dis-tu, Brigida?

La femme de charge grommela :

— Je dis, moi, que cette petite nous donnera plus tard des ennuis et qu'il vaudrait bien mieux la faire disparaître comme son frère.

Angelica riposta, avec un peu d'impatience :

— Je t'ai déjà expliqué, Brigida, l'impossibilité de recommencer le même coup, sous peine d'éveiller les soupçons. En prenant les précautions nécessaires, nous n'aurons rien à craindre de cette enfant... Et, pour bien la tenir entre nos mains, savez-vous qui je lui donnerai comme tuteur?

Lionel et la femme de charge firent un même geste signifiant qu'ils ne devinaient pas.

— Eh bien! Orso Manbelli!

— Orso Manbelli? Le cousin dont tu m'as parlé et que tu as revu deux ou trois fois, m'as-tu dit?

Angelica inclina affirmativement la tête. Elle n'avait pas jusqu'ici mis en rapports son fils et son ex-fiancé, représenté par elle à Lionel comme un artiste fort bohème doublé d'un joueur acharné. De même s'était-elle gardée de lui faire connaître les tares de la famille se contentant de lui apprendre que les Manbelli étaient d'origine modeste, mais d'esprit fort ambitieux et entreprenant. Toutefois, Orso, dans l'enlèvement du petit Etienne, et ensuite lorsqu'il avait réalisé le plan conçu par Sephora pour que toute trace de l'enfant disparût, s'était montré fort habile et prudent. Ricardo Clesini, qui l'employait à de louches besognes, se déclarait satisfait de lui. Mme de Varouze trouvait donc qu'il devenait un homme utile, et elle avait résolu de l'appeler à la Roche-Soreix pour s'en faire un auxiliaire dans la mainmise complète qu'elle entendait garder sur la fille de Gérault.

— Je lui ai écrit à ce sujet, expliqua-t-elle à Lionel. Il sera ici dans deux ou trois jours. Nous commencerons alors les démarches nécessaires pour lui faire donner la tutelle. En me portant garante de lui, nous n'aurons certainement pas de difficultés.

Celle dont on décidait ainsi le sort ne se trouvait plus dans la sombre maison de Mahault. Le lendemain de la mort du comte, Mme de Varouze l'avait envoyée chercher, vers la fin de la soirée, pour la loger dans un petit cabinet attenant à la chambre de Mlle Luce. L'institutrice était chargée de s'occuper d'elle et de la surveiller.

— Pas de bavardage avec personne, mademoiselle, avait recommandé la châtelaine. Tenez-la très sévèrement, c'est le seul moyen d'avoir raison d'une nature qui s'annonce pleine d'orgueil et de révolte.

Mlle de Francueil avait accueilli cette communication avec son impassibilité habituelle. Mais celle-ci, un instant, céda, quand Mme de Varouze ajouta :

— Comme cette enfant, d'origine inconnue, est destinée à un sort modeste, j'ai décidé qu'elle prendrait ses repas à l'office.

Mlle Luce eut un vif mouvement de protestation, en répétant avec un accent stupéfait :

— A l'office?... Avec les domestiques?

— Eh! oui. Que voyez-vous donc là de si étonnant?

— Mais, madame, il me semble qu'il suffit de voir Claire et d'avoir connu sa mère pour constater que là n'est pas la place de cette enfant!

Angelica riposta avec un calme ironique :

— Voilà qui n'est pas du tout mon avis, mademoiselle. Mme Lambert était une aventurière, je m'en suis convaincue, et sa fille, si j'en crois les dispositions dont elle témoigne, serait fort capable plus tard de marcher sur ses traces. Aussi ne veux-je pas donner à cette enfant les moyens d'y parvenir en lui préparant une situation sociale qui serait un tremplin pour son ambition et ses intrigues éventuelles. Après mûres réflexions et une étude sérieuse de cette nature, j'ai donc pris mes décisions sur ce point.

— Mais, madame, avez-vous songé que l'enfant, dans ce milieu, entendra des conversations... aura peut-être des exemples mauvais?

— Brigida sera là pour y veiller, chère mademoiselle... Que votre sollicitude pour cette petite Claire se rassure donc.

Un sourire d'ironie mauvaise ponctuait la phrase... Luce répliqua, en contenant le bouillonnement d'indignation qui montait en elle :

— Je souhaite simplement, madame, qu'il ne soit pas fait d'injustice à une enfant innocente.

— Que parlez-vous d'injustice?... Je devrais, logiquement, laisser cette petite étrangère à l'Assistance publique. Par pitié, je la garde sous mon toit, je me charge de son entretien. Que pourrait-on, en vérité, me demander de plus?

Elle regardait en face l'institutrice, d'un air de défi railleur... Mlle de Francueil répondit froidement, avec une intonation de mépris :

— Je n'en sais rien, madame. Ceci est affaire entre vous et votre conscience.

— Eh bien! ma conscience est fort en paix, mademoiselle... Et je compte sur vous pour faire bien comprendre à Claire toute la reconnaissance qu'elle me doit.

Cette fois, Luce dédaigna de relever la cynique bravade. De plus en plus, Mme de Varouze lui inspirait une répulsion mêlée du plus profond mépris... Et en quittant la châtelaine, la malheureuse songeait avec désespoir :

« Dire que je suis à la discrétion de cette femme!... tant qu'elle le voudra... c'est-à-dire probablement jusqu'à la fin de ma vie! »

A la suite de cet entretien, Ourida avait donc commencé sa nouvelle existence. Elle continuait de partager quelques-unes des leçons de Lea, bien que celui-ci eût déclaré qu'elle ne voulait pas avoir pour compagne « une domestique ». Le reste du temps, elle travaillait à l'aiguille sous la direction de Mlle Luce et aidait les femmes de chambre ou Brigida... Celle-ci ne lui ménageait pas les mauvaises paroles ni même les coups et, à l'office, pendant les repas, c'était elle qui excitait les autres serviteurs contre l'enfant... « la princesse, la mijaurée », comme elle l'appelait.

Pauvre petite Ourida, combien elle regrettait le

temps où elle vivait dans la maison de Mahault, entre sa mère et son frère! C'était là presque un éden, en comparaison de l'existence actuelle!

Le soir, heureusement, elle se retrouvait près de Mlle Luce de Francueil, et la femme qui avait tant souffert s'efforçait de consoler, d'encourager l'enfant isolée, malheureuse, avide d'un peu d'affection.

Un matin, aux approches de Noël, Mme de Varouze fit appeler l'institutrice et, de son air le plus suave, lui tint ce petit discours :

— Chère mademoiselle, je vous ai maintes fois déclaré que vous possédiez mon entière confiance. Or, je vais vous en donner une nouvelle preuve, et des plus convaincantes... Je compte partir dans une quinzaine de jours, avec Brigida, et tout mon personnel. Mais ne voulant pas m'embarrasser de Claire, j'ai songé à la laisser ici, sous la garde d'une personne sérieuse et sûre, telle que vous, par exemple.

Angelica s'interrompit un moment... Luce, très calme en apparence, garda le silence... Mme de Varouze poursuivit donc :

— A mon grand regret, Lea et vous n'avez jamais pu parvenir à vous entendre. Je donnerai donc une autre institutrice à ma fille... Quant à vous, mademoiselle, vous aurez ici une bonne petite situation bien tranquille... cinquante francs par mois, nourrie, logée, éclairée, chauffée... à charge d'instruire Claire selon les vues que je vous ai déjà exposées... plus quelques travaux de tapisserie, broderie, peinture, que je vous demanderai d'exécuter en vos moments de loisir, certainement nombreux dans cette solitude...

Encore un petit temps d'arrêt... La comtesse glissa un coup d'œil de joie mauvaise sur le beau visage qui avait tressailli, sur les lèvres qui mordaient les dents fines.

— ... Vous aurez ainsi une existence tout à fait libre et fort agréable. Sous votre direction, Claire deviendra très habile dans les ouvrages d'aiguille. Octavie, la femme du concierge, lui enseignera l'art des nettoyages et de tout ce qui concerne sa future situation... Vous logerez avec elle dans la maison de Mahault, où je fais faire quelques arrangements à ce sujet. Je suis certaine qu'avec vos goûts, chère mademoiselle, vous vous y trouverez parfaitement.

Grâce à un violent effort sur elle-même, Luce parvint à répondre avec un air de froide indifférence :

— Je le pense aussi, madame.

Angelica sourit agréablement.

— Oh! je savais bien que nous nous entendrions!... Ainsi donc, je vous confie Claire, la pupille de mon cousin, M. Manbelli. Souvenez-vous seulement que vous êtes responsable, — écoutez bien ceci, — responsable de tout ce que pourra dire ou faire cette enfant... Ainsi, par exemple, mettons qu'elle veuille, dans quelques années, répéter les prétentions mensongères de sa mère, au sujet de son origine... eh bien! c'est à vous que je m'en prendrais, si vous n'arrêtiez à temps ces idées intempestives... De même, au cas où elle imaginerait de s'enfuir... Oh! alors, je ne pourrais vraiment vous pardonner!

Cette fois, une grande pâleur se répandait sur le beau visage frémissant et dans les prunelles d'un bleu si profond s'alluma une lueur de violente indignation.

Luce riposta, d'une voix que la révolte faisait trembler :

— C'est donc un rôle de geôlière... et de complice que vous voulez me donner là, madame?

Angelica sourit de nouveau.

— Comme vous voyez toujours les choses du mauvais côté, mademoiselle!... Je vous confie simplement l'éducation de cette enfant, orpheline, sans fortune, dont j'ai assumé la charge, par pure compassion. C'est là une preuve de l'estime dans laquelle je vous tiens... Mais il vous est d'ailleurs parfaitement loisible de refuser. Vous êtes libre... et si vous jugez préférable ce refus, j'en avertirai la signora Clesini, qui s'arrangera de cela avec vous.

Cette fois, le sang monta au visage de Luce et un douloureux effroi traversa son fier regard... D'une voix un peu rauque, mais sans courber le front, elle répondit :

— Vous savez fort bien que ma liberté n'existe plus. Ainsi donc, je n'ai pas à accepter ni à refuser... Je subis, voilà tout.

— Eh bien! c'est entendu, mademoiselle. Le mot importe peu, et si celui-là vous agrée mieux...

Elle raillait, doucereusement, la fourbe créature dont le regard considérait avec une satisfaction ironique la belle physionomie défaite, les yeux qui laissaient voir tant de révolte, de souffrance, d'insondable désespoir.

— ... Donc, je vous confie l'éducation, la garde, la surveillance de cette petite Claire... surveillance stricte, je le répète. Ne perdez surtout pas votre temps à lui apprendre rien en dehors de ce que nécessitera sa future position. Ce serait chose inutile, et plutôt nuisible pour elle... Préparez-la à devenir une bonne femme de chambre, ou bien une femme de charge experte. Plus tard, Brigida prendra sa retraite, elle pourra la remplacer... Est-ce convenu, mademoiselle ?

Brièvement, Luce répondit :

— Oui, madame.

En quittant le salon de la comtesse, Mme de Francueil croisa dans le vestibule Orso Manbelli... Le cousin d'Angelica se trouvait à la Roche-Soreix depuis une quinzaine de jours. Malade au moment des obsèques du comte, il n'avait pu y assister, à son grand regret, racontait-il. Mais il était accouru aussitôt que possible pour offrir ses condoléances et son aide à sa chère cousine.

A la façon dont Orso la regardait, Luce avait eu l'impression qu'il la connaissait auparavant... Elle-même avait comme un vague souvenir d'une figure semblable, mais plus jeune, entrevue autrefois. Cela n'avait rien d'impossible, puisque le signor Manbelli avait habité Rome.

Bien que l'Italien ne se départît pas de manières correctes et qu'on ne pût trouver rien à redire dans ses propos, Mlle de Francueil était trop intelligente et trop méfiante au sujet de tout ce qui touchait à Angelica, pour ne pas voir d'un œil défiant ce cousin dont jusqu'alors il n'avait pas été question. Elle devinait aisément l'aventurier, sous le masque d'homme du monde que Manbelli s'essayait à porter... Puis elle remarquait la visible admiration que lui inspirait Mme de Varouze et son empressement à approuver toutes les idées, toutes les décisions de la châtelaine.

Aussi avait-elle appris sans aucune satisfaction que cet étranger devenait le tuteur d'Ourida. Très clairement, elle voyait là une adroite combinaison de la comtesse pour conserver sa domination sur l'orpheline.

Mme de Varouze, ainsi qu'elle le prévoyait, avait obtenu facilement que la tutelle fût donnée à son cousin. Il n'existait personne qui se souciât d'assumer cet ennui en faveur de la petite orpheline étrangère, et le notaire de Champuis, chargé de recruter un conseil de famille parmi quelques cultivateurs de l'endroit, félicita M. Manbelli de s'associer ainsi à l'œuvre charitable de sa cousine. Par les soins de Ricardo Clesini, dont les relations étaient aussi influentes que nombreuses et variées, l'Italien se trouva muni des meilleures attestations d'honorabilité que confirma encore la garantie de Mme de Varouze... Et ce fut ainsi que, sans contestation, Ourida devint la pupille d'un meurtrier et d'un voleur.

La comtesse compléta son œuvre en laissant discrètement entendre que la pauvre Medjine était une intrigante, heureusement réduite à l'impuissance par la maladie. Avec le curé, elle fut même plus explicite et lui raconta, sous le sceau du secret, que « cette Mme Lambert » était venue en Auvergne avec l'intention de se faire passer pour la veuve d'un neveu du châtelain.

— Ce n'était qu'une pauvre tête faible, ajouta la comtesse. Elle n'avait même pas un semblant de preuve à l'appui de ses dires. Aussi ai-je eu pitié d'elle, malgré tout, et de ses pauvres enfants... Malheureusement, la petite fille, qui est fort intelligente, a entendu plus d'une fois sa mère parler de sa prétendue parenté avec les Varouze. Il est possible qu'elle en garde quelque temps le souvenir... Mais au cas où elle vous en parlerait, monsieur le curé, faites-lui la morale, très doucement, dites-lui que ce ne serait pas bien de sa part, à mon égard, si elle conservait de telles idées qui ne reposent sur rien... du reste, maintenant que vous êtes instruit de la situation, vous saurez mieux que moi ce qu'il convient de lui dire, en pareille occurrence.

Le curé, sans méfiance, assura qu'il ne manquerait pas à cette tâche, non moins qu'à combattre les instincts mauvais qui pouvaient exister en cette enfant dont l'origine demeurait obscure, les recherches faites à Constantinople sur « Mme Claire Lambert » demeurant — et pour cause — sans aucun résultat.

Quant à la petite fille, Mme de Varouze assurait l'avoir interrogée à plusieurs reprises et n'avoir pu obtenir d'autre réponse que celle-ci : « Nous étions à Constantinople. »

— C'est une petite créature sournoise et entêtée, sous d'agréables dehors, déclarait la comtesse. Avec l'éducation, j'espère que nous l'améliorerons un peu.

On établit donc un état civil au nom de Claire Lambert, néc de Marie-Claire Lambert et de père inconnu. Le lieu de naissance ne put être mentionné... Quant au petit Etienne, sa disparition continua de demeurer un mystère que personne n'avait l'intérêt ni le souci de chercher à découvrir. L'opinion générale — sur la suggestion discrète d'Angelica — était que le père ou quelqu'un de la famille l'avait fait enlever, dans un but qu'on ne pouvait deviner.

On admira beaucoup que Mme de Varouze se privât de Mlle Luce pour la laisser près de cette petite étrangère. Sa réputation de bonté en grandit encore... Et ce fut avec regret que tout le pays la vit quitter la Roche-Soreix pour gagner Paris.

Pendant ce temps, Mlle de Francueil et Ourida — les deux victimes de l'astucieuse femme — s'installaient dans la sombre maison de Mahault et y commençaient leur existence commune, dans la souffrance du présent et la tristesse lourde de leurs souvenirs.

DEUXIEME PARTIE

I

— Michelino!... Michelino!

L'appel, vigoureusement lancé par la voix sonore de Giorgio Sempli, vint faire légèrement tressaillir un jeune garçon assis à l'ombre d'un bosquet de myrtes et absorbé dans une occupation qui consistait à reproduire sur un feuillet de papier, à l'aide d'un bout de crayon, une des vaches qui broutaient à quelques pas de là.

Il se leva en étouffant un soupir d'ennui et lança de sa voix claire :

— Voilà, maître!

En même temps, il glissait dans sa poche papier et crayon... Puis, sans hâte, il se dirigea d'où venait l'appel.

Son costume de paysan, pauvre et rapiécé, ne s'harmonisait guère avec la grâce de son allure, la finesse de ses traits. Il avait un corps mince, assez frêle, de beaux yeux bleus rêveurs et tristes, une chevelure blonde aux tons fauves... Le contraste était frappant entre lui et le paysan brun de teint et de cheveux qui l'attendait au bord du pâturage, près d'un groupe de chênes verts.

— Voilà plusieurs fois que je t'appelle, Michelino, fainéant!... Où donc étais-tu?

Le jeune garçon répondit laconiquement, en désignant le bosquet de myrtes :

— Là-bas.

— Eh bien! tu devais m'entendre?... Deviendrais-tu sourd, par hasard?... Il ne manquerait plus que cela! Tu ne nous rends déjà pas tant de services pour le pain que tu manges!

Michelino ne répondit pas. Son regard, songeur et mélancolique, s'en allait errer vers les escarpements rocheux qui s'élevaient au-dessus des pâturages, sous la pure lumière du ciel de Sicile.

Giorgio leva les épaules.

— Toujours dans les nuages!... Allons, viens, j'ai besoin de toi là-bas.

Sans mot dire, Michelino suivit son maître. Ils gagnèrent le bord du torrent qui bondissait avec bruit sur son lit rocheux et, par un sentier bordé de haies d'aloès, atteignirent une ferme de modeste apparence, dont la cour était ombragée par un énorme figuier.

A ce même moment, sur la route qui passait là, en croisant le sentier, arrivait un cavalier monté sur un assez beau cheval qu'il menait au pas de promenade, en homme peu pressé... Giorgio marmonna, d'un air inquiet :

— Le signor Padruccio... Qu'est-ce qu'il me veut encore?

Le cavalier, en apercevant le paysan, déclara sur un ton d'autorité :

— J'ai deux mots à te dire, Giorgio.

L'autre, en saluant avec empressement, répondit :

— Tout à votre service, signor.

Il s'avança pour tenir la bride du cheval... Mais le

signor Padruccio, intendant des domaines siciliens du prince Falnerra, dit de sa voix brève :

— Non, je ne descends pas... Je viens seulement t'avertir, Giorgio, que si les vignes ne sont pas mieux cultivées je te retirerai le fermage.

Giorgio leva les bras au ciel.

— Vous ne feriez pas cela, signor Padruccio!

— Tu sais fort bien, au contraire, que je le ferais. Secoue donc ta paresse et travaille autrement, car je ne souffrirai plus longtemps cette négligence.

— Ma paresse!... Mais, signor, je travaille sans relâche! Ceux qui me connaissent peuvent vous le dire... Et ma femme s'épuise également à la besogne.

— Eh bien! prends un domestique... Qu'est-ce que ce garçon?

L'intendant désignait Michelino qui était demeuré à quelque distance derrière le fermier.

Giorgio eut un expressif mouvement d'épaules.

— Un pauvre être à peu près bon à rien, que nous gardons par pitié.

— Il est de fait qu'il ne paraît pas taillé pour le travail de la terre... Est-ce un de tes parents?

— Non pas, signor... C'est un enfant dont on nous avait confié la garde, il y a neuf ans. Pendant deux années, on nous paya régulièrement le prix convenu. Puis nous n'entendîmes plus parler de rien.

— Vous n'avez pas réclamé?

— Et à qui?... L'enfant nous avait été amené par un inconnu qui venait nous le confier, disait-il, au nom de Son Excellence le comte Dorghèse. Comme, à cette époque, la terre où nous sommes appartenait à celui-ci, nous n'avons pas osé refuser, d'autant plus que la somme qui devait nous être versée chaque trimestre paraissait bien tentante à de pauvres gens comme nous... Quand nous vîmes que cette somme ne nous était plus payée, le curé, sur notre demande, écrivit à Son Excellence. Le comte répondit qu'il ne savait pas du tout de quoi on voulait parler, qu'il n'avait jamais chargé personne de nous amener un enfant... Voilà toute l'affaire, signor Padruccio.

L'intendant eut un sourire entendu.

— Bien, bien... je comprends... le comte Dorghèse a la réputation de savoir toujours se débarrasser des ennuis et des entraves... Voilà qui expliquerait, d'ailleurs, la finesse de ce type.

Giorgio fit observer :

— Ce ne doit pas être un Italien. D'abord, il parlait une langue étrangère — le français, a dit notre maître d'école. Mais on n'a rien pu savoir par lui, car il était comme abruti quand on nous l'a amené et il l'est resté quelque temps encore... Puis, au bout de deux ou trois mois, l'intelligence lui est revenue. Mais il ne se rappelait rien, pas même son français, car nous autres, naturellement, nous n'avions pu lui parler que notre langue.

— Comment était l'homme qui te l'avait amené?

— Plutôt petit, bien vêtu, avec une grande barbe noire et des yeux brillants.

— Alors, quand tu as cessé de recevoir l'argent promis, tu as quand même gardé l'enfant?

— D'abord, je ne voulais pas. C'était une charge pour des gens comme nous, qui avons peine à vivre. Mais ma mère, à qui le bambino plaisait, m'a décidé tout de même... « Cela nous portera bonheur, disait-elle. Et puis, plus tard, il t'aidera dans ton travail... » Ah! oui, une belle aide! Il n'est bon qu'à rêver, à faire des dessins sur tous les bouts de papier qu'il trouve...

Avec cela, pas fort... Enfin, il n'y a pas grand-chose à espérer de lui.

Le signor Padruccio suivait d'un œil observateur Michelino qui, voyant que l'entretien se prolongeait quelque peu, s'en allait vers la ferme, au seuil de laquelle venait d'apparaître une jeune femme brune et maigre, dont les yeux vifs s'attachaient avec quelque inquiétude sur l'intendant et son interlocuteur.

— Peut-être te trompes-tu, Giorgio... Il y a d'autres besognes que le travail de la terre, et ton protégé pourrait fort bien réussir dans l'une d'elles.

— Je ne dis pas, signor... Mais, moi, je ne suis guère au courant d'autre chose que de ce travail-là, et je n'ai pas d'argent à dépenser pour lui faire apprendre un métier.

— Il en est un dont l'apprentissage ne te coûtera rien, car, outre les gages qu'il recevra, le garçon sera logé, nourri, habillé, en un mot, défrayé de tout.

Une lueur de cupidité s'alluma dans les yeux noirs du Sicilien.

— Et comment, signor?

— Un des jeunes domestiques faisant partie du personnel de Son Altesse est mort dernièrement. Je prends ce garçon pour le remplacer.

La figure de Giorgio s'épanouit de contentement.

— Ah! comme cela, oui, signor!... Michelino aura là une belle situation... Eh! Michelino, viens ici!

Le jeune garçon se détourna et revint sur ses pas.

— Le signor intendant va te prendre pour entrer au service de Son Altesse. Remercie-le de cette bonté.

Michelino eut un mouvement de surprise et son regard s'emplit de tristesse inquiète, en s'attachant sur le sec visage de l'intendant.

Padruccio, qui le détaillait d'un coup d'œil inquisiteur, demanda :

— Quel âge a-t-il?... Une quinzaine d'années?

— A peine... Je ne puis dire au juste, car l'homme qui me l'a apporté ne m'a pas donné de détails à son sujet. Mais il ne paraissait pas alors avoir plus de cinq ans... Il y en a neuf de cela. Vous voyez, signor, cela nous donne quatorze.

— Il est grand pour son âge... Et il portera bien la livrée... Donc, c'est entendu, Giorgio. Envoie-le au palais dans deux jours, tel qu'il est. On l'habillera là-bas comme il convient... Les gages sont de quarante lires par mois, pour commencer... Avec cela, tu te payeras un valet plus travailleur que celui-ci, de façon que je n'aie plus le désagrément de voir tes vignes aussi mal tenues.

Sur ces mots, l'intendant fit un geste protecteur et reprit sa route, au petit trot de sa monture.

Précipitamment, Giorgio s'en alla vers la porte où, curieuse et inquiète, attendait la jeune femme.

— Benvenuta, bonne affaire!... Le signor Padruccio prend Michelino pour le service de Son Altesse!... Quarante lires par mois et le garçon défrayé de tout.

Un sourire de satisfaction entrouvrit les lèvres rouges de la femme.

— Bonne affaire, tu dis bien!... Au moins, ce fainéant nous rapportera quelque chose. Voilà assez longtemps qu'on le nourrit pour rien, autant dire.

Un regard hostile vers Michelino appuya la phrase.

Le jeune garçon ne répliqua pas... Sa physionomie restait triste et méditative. Il ne savait trop s'il devait se réjouir ou s'alarmer de ce changement dans sa situation... Certes, il n'était pas heureux ici, depuis surtout qu'était morte la mère de Giorgio, qui l'aimait et le protégeait. Benvenuta, nature sèche et intéressée, n'avait que malveillance à son égard. Elle poussait contre lui son mari, déjà mal disposé pour l'enfant que sa faiblesse physique rendait inapte aux travaux dont il aurait voulu le charger. Michelino était donc mal nourri, traité avec dédain, quand ce n'était pas avec dureté... Peut-être aussi la jeune femme, qui avait mis au monde un enfant chétif et difforme, jalousait-elle la finesse, l'élégance native du petit étranger. Elle l'appelait parfois, avec moquerie, « le signor comte » et se plaisait à faire en sa présence des suppositions plus ou moins blessantes sur son origine. Michelino supportait tout, stoïquement. D'ailleurs, avec sa nature délicate, il se rendait compte qu'il devait quelque reconnaissance à ces étrangers qui l'avaient conservé sous leur toit, lui, l'abandonné. Aussi s'essayait-il à les contenter, sans y parvenir, ses forces trahissant son courage.

Sa nouvelle situation apporterait-elle une amélioration à son sort?... Il l'ignorait, n'ayant aucune notion de l'existence à laquelle l'appelait la décision du signor Padruccio. L'inconnu où il allait entrer l'effrayait un peu et, au moment de quitter le milieu rustique où il avait vécu jusqu'à ce jour, une mélancolie plus grande pénétrait l'âme fine et vibrante que la solitude morale avait habituée à se replier sur elle-même.

II

Le palais du prince Falnerra se trouvait à vingt kilomètres de Palerme, dans une admirable situation. La vue incomparable sur la mer et la montagne, la splendeur des terrasses de marbre, la féerique beauté des jardins parfumés, la décoration intérieure, d'un goût somptueux et raffiné, tout contribuait à faire de cette demeure un lieu de rêve.

Elle était d'ailleurs une des résidences préférées du prince Salvatore. En ces dernières années, celui-ci avait beaucoup voyagé à travers l'ancien et le nouveau continent. Mais entre ces absences plus ou moins longues, il venait passer des semaines ou des mois dans son palais sicilien, se donnant alors tout à l'art musical dont il était devenu l'un des maîtres.

La vieille et superbe demeure, bâtie autrefois par un des conquérants normands de la Sicile, avait vu naître ces œuvres, peu nombreuses encore, dont les critiques impartiaux reconnaissaient la haute valeur... Et c'était encore dans la vibrante lumière de cette solitude embaumée que don Salvatore était venu composer l'oratorio qui serait, lui semblait-il, son chef-d'œuvre.

Telle était la demeure où Michelino, l'abandonné, entrait en qualité de serviteur.

Un majordome, imposant personnage du nom de Guilio, dirigeait avec autorité le nombreux personnel domestique. A peine daigna-t-il jeter un regard sur le jeune garçon timide et misérablement vêtu qui lui était présenté... Appelant un des valets de pied, il ordonna :

— Giuseppe, tu feras habiller ce garçon et tu t'occuperas de le débrouiller.

Celui auquel il s'adressait ainsi était un robuste gaillard de belle prestance, dont la physionomie aurait vite révélé à un observateur une nature sournoise et envieuse... Il jeta vers le nouveau venu un coup d'œil mauvais et lui intima d'un ton revêche l'ordre de le suivre.

Pauvre Michelino, il était tombé de Charybde en Scylla!... Giuseppe avait précédemment brigué cette place de valet pour son jeune frère et se l'était vu refuser parce que celui-ci, au jugement de Guilio, avait l'allure trop lourde pour porter comme il le fallait la livrée du prince Falnerra. Or, cette livrée, d'ailleurs d'une sobre élégance, paraissait avec tous ses avantages sur la personne fine et souple du blond Michelino... Cette constatation acheva d'exaspérer l'âme basse de Giuseppe, déjà disposé à voir d'un œil défavorable celui qui allait occuper cet emploi convoité pour un autre. Dès cet instant, il détesta le pauvre enfant et se promit qu'il serait chassé un jour ou l'autre.

En attendant, il s'occupa, avec une perverse habileté, de le faire mal voir des autres domestiques. Sa timidité fut représentée comme de l'hypocrisie, sa réserve comme de la fierté... A entendre Giuseppe, le nouveau serviteur n'était que paresse et invincible entêtement. Rien n'y faisait, assurait-il : ni raisonnement, ni menaces... Ce lâche ne parlait pas des coups dont, pourtant, il ne se privait pas de meurtrir l'enfant trop timide pour se plaindre.

Le pauvre Michelino travaillait pourtant de son mieux. Mais Giuseppe, voyant sa faible constitution, se plaisait à lui donner des travaux trop forts dont il ne pouvait venir à bout... Peu à peu, il en arriva à ne plus lui faire revêtir la livrée. Il pouvait, de cette manière, l'employer constamment à des besognes de nettoyage et à d'autres tâches de ce genre.

Michelino devenait ainsi de plus en plus maigre et pâle. De grands cernes se formaient sous ses yeux, qui semblaient contenir chaque jour plus de tristesse... Quand Giuseppe lui laissait un moment de répit, il se glissait hors du palais et allait se blottir dans quelque bosquet du merveilleux jardin. Là, il rêvait, mélancoliquement, tout en aspirant l'enivrante senteur des fleurs répandues en cet éden... Quel serait le lendemain pour lui?... Qui était-il?... Pourquoi l'avait-on abandonné ainsi?... Questions insolubles, qui tourmentaient la jeune âme réfléchie, avide d'une affection qu'elle n'avait pas rencontrée jusqu'alors.

Parfois, Michelino apercevait de loin le prince, passant dans une des allées. Son regard s'attachait avec une admiration craintive sur celui qui représentait à ses yeux une si haute puissance. Il avait entendu les autres domestiques parler avec une sorte de respect adulateur du maître qu'ils étaient fiers de servir... Et lui, le pauvre petit valet, qui jamais encore n'en avait approché, suivait longuement des yeux l'élégante silhouette à l'allure nonchalante et souple. Deux ou trois fois, caché derrière quelque statue, quelque massif de fleurs, non loin du palais, il put écouter, en extase, les sons de l'orgue ou des instruments à cordes dont le prince Falnerra se servait avec une égale maîtrise.

En ces rêveries solitaires, Michelino se reportait fréquemment vers son passé. Il se rappelait la bonne Agnolina, la mère de Giorgio, qui l'embrassait parfois en l'appelant son gentil bambino. L'existence avait été relativement douce pour lui, tant qu'elle avait vécu... Mais après, les épreuves avaient commencé... Elles ne semblaient pas, hélas! près de se terminer.

Environ trois semaines après l'arrivée du nouveau domestique au palais Falnerra, le majordome s'informa près de Giuseppe :

— Eh bien! ce Michelino, qu'en fais-tu?... Il me semble qu'il doit être suffisamment dressé maintenant pour commencer un service effectif?

Giuseppe eut un geste découragé.

— Lui!... Mais je n'arrive à rien avec ce garçon, signor Guilio!... Une obstination, une fainéantise!... Pour le punir, j'ai dû lui retirer la livrée...

L'imposant Guilio fronça ses noirs sourcils.

— Je n'entends pas que tu te permettes cela sans en référer à moi!... Dès aujourd'hui, tu la lui feras remettre et, demain, tu le prendras avec toi pour servir les hôtes que doit recevoir Son Altesse. Je verrai moi-même comment il s'en tire.

Force était bien à Giuseppe d'obéir... Il s'en vengea d'ailleurs en frappant Michelino pour un oubli insignifiant. De plus, il commença de méditer sur les moyens de le faire prendre en grippe par le majordome.

Ainsi que l'avait dit Guilio, le prince recevait le lendemain à déjeuner quelques notabilités de l'aristocratie palermitaine... C'était après le repas, pour le service des liqueurs et du café, que commençait le rôle de Michelino. Giuseppe pensait avec raison : « Il fait cela pour la première fois, et en présence d'une douzaine de personnes, dont Son Altesse qu'il sait très difficile. Timide comme il l'est, ce serait chose étonnante s'il ne se troublait pas et ne commettait pas quelque grosse bévue... » De fait, le jeune garçon tremblait d'appréhension, ainsi que le constata joyeusement le grand valet en se dirigeant avec lui vers le péristyle de marbre rose qui précédait les salons et où le prince et ses hôtes s'étaient installés après le déjeuner pour fumer en prenant leur café.

Tout en obéissant aux brèves indications chuchotées par Giuseppe, Michelino jeta un coup d'œil craintif vers cette réunion, exclusivement masculine... et surtout vers le maître, dont la belle tête aux boucles brunes, aux traits fins et fermes à la fois, se dessinait harmonieusement dans la claire lumière qui se glissait entre les colonnes du péristyle. Les paupières mates s'abaissaient légèrement sur les yeux superbes, — des yeux d'un brun velouté où passaient d'ardents reflets d'or, — tandis que don Salvatore, la cigarette entre les lèvres, écoutait deux de ses invités discutant avec animation sur un point d'art pictural. Il y avait là des hommes fort distingués, appartenant aux meilleures familles siciliennes, mais aucun ne pouvait rivaliser en élégance patricienne, en charme souverain avec le descendant des princes Falnerra.

C'était bien ce que pensait aussi, obscurément, le jeune valet qui, de ses mains frémissantes, maniait les porcelaines d'une admirable et désespérante finesse, où le maître d'hôtel, avec un soin plein de componction, versait le moka au parfum délicieux.

Comme en un rêve, il prit le plateau que lui désignait Giuseppe et s'approcha des groupes entre lesquels étaient disposées des petites tables de bois précieux aux incrustations d'ivoire ou d'argent.

Giuseppe, tout en s'acquittant du même service, le suivait d'un œil aigu... Il remarquait fort bien que ses jambes flageolaient sous l'empire de l'émotion et qu'il marchait d'un pas mal assuré sur le pavé de marbre. Lui-même, d'ailleurs, se chargea d'augmenter le malaise du pauvre garçon. En passant près de lui, il chuchota :

— Prends garde, tu vas faire un malheur!... On dirait que tu ne tiens pas sur tes jambes!... Ah! tu fais un joli domestique!

Et le maître d'hôtel, à son tour, l'apostrophant à mi-voix, ordonna :

— Là-bas... Son Excellence le comte Leddi te fait signe... Es-tu donc idiot que tu ne vois rien?

Bien vite, Michelino, rouge comme braise et le cerveau en déroute, fit un mouvement pour se diriger vers le personnage indiqué par un signe discret du maître d'hôtel. Mais ses jambes tremblantes fléchirent... il glissa sur le pavé de marbre... et ses mains laissèrent échapper le plateau garni de fins cristaux de Murano qui se brisèrent en mille miettes.

Il y eut quelques exclamations... Le prince Falnerra, ses bruns sourcils rapprochés, jeta vers le coupable un regard de hautain courroux. Le maître d'hôtel, s'avançant rapidement, intima d'un geste bref, mais expressif, au pauvre garçon ahuri l'ordre de s'éloigner immédiatement... Et lorsque Michelino eut gagné le passage conduisant aux offices, il se vit happer par la main furieuse du majordome qui, debout au seuil d'une des pièces donnant sur le péristyle, avait assisté à l'incident.

— Buse!... Triple maladroit!... Giuseppe avait bien raison!... Mais tu ne recommenceras pas deux fois tes sottises! Demain matin, tu partiras d'ici, tu t'en iras retrouver tes parents... tu leur diras qu'on te renvoie parce que tu n'es bon à rien.

Il était fort irrité, l'imposant Guilio. Son immense amour-propre venait d'être atteint dans ce qui le touchait de plus près : l'organisation du service que Son Altesse — fort exigeante en la matière, chacun le savait — lui avait fait l'honneur de lui confier. Jusqu'alors, jamais un incident de ce genre ne s'était produit. Guilio, qui menait son monde au doigt et à l'œil, pouvait contempler avec orgueil le personnel impeccable dont il avait la charge... Et voilà que ce petit imbécile... cette nullité... cet idiot commettait une pareille sottise, devant Son Altesse, devant ses hôtes! En vérité, c'était le perdre de réputation, lui, Guilio!

Sans compter qu'il s'attendait bien à recevoir une verte semonce du prince, pour avoir engagé à son service un être aussi parfaitement incapable!

— Ah! tu peux aller faire tes bêtises ailleurs, maintenant! grommela-t-il en poussant brusquement le jeune garçon dans la direction de l'escalier conduisant aux logements des serviteurs. Je croyais que Giuseppe exagérait, par rancune de mon refus... mais tu m'as donné la preuve qu'il avait vu juste en pensant qu'on n'arriverait à rien avec un être de ton espèce.

Michelino ne protesta pas. Il était encore tout tremblant de confusion et avait peine à se soutenir.

Quand il fut dans la petite chambre qu'il partageait avec un autre jeune domestique un peu plus âgé que lui, le pauvre enfant se jeta sur son lit et, là, il se mit à sangloter doucement... Il sentait une immense lassitude dans son corps affaibli par un travail au-dessus de ses forces et par le sourd chagrin que lui causaient l'abandon où il se trouvait, le manque d'affection si profondément sensible à sa nature aimante et délicate. Et c'était avec terreur qu'il se demandait :

« Que vont-ils dire, là-bas, quand ils me verront revenir? Comment me traiteront-ils, maintenant que j'aurai encore moins de forces qu'avant pour travailler? »

III

Toute la nuit, Michelino eut une forte fièvre et ce fut à grand-peine qu'au matin il put se lever et revêtir les pauvres vêtements avec lesquels il était venu. Son compagnon, un garçon indifférent, mais non méchant, lui conseilla :

— Tu devrais tâcher de trouver une voiture, une charrette quelconque, qui s'en aille du côté où tu vas.

Michelino secoua négativement la tête... Cette voiture, il lui faudrait la payer et il voulait rapporter intégralement, à ceux qui lui reprochaient si souvent ce qu'ils avaient fait pour lui, la somme qu'il recevrait pour ces trois semaines de service.

Ce fut Giuseppe qui la lui remit, un peu avant son départ. Saisi d'un vague remords, devant la mine défaite de sa victime, il dit en lui frappant sur l'épaule :

— Allons, allons, tu trouveras une autre place. Mais ici, ce n'était pas ton affaire, mon petit.

Michelino étouffa un soupir, en songeant : « Si vous aviez voulu, j'aurais pu m'habituer tout de même. »

Lentement, il quitta la magnifique demeure dont, avec un sens inné de la beauté, il avait admiré les trésors artistiques et l'aristocratique splendeur. Il longea l'avenue de palmiers et se trouva sur la route... Pendant une demi-heure, il marcha, se traîna plutôt... La fièvre faisait battre ses artères, des éblouissements passaient devant ses yeux... Et comme il atteignait l'endroit où il devait quitter la route de Palerme pour prendre celle qui le conduirait à destination, le pauvre garçon, saisi de vertige, s'abattit en travers du chemin.

Quelques instants plus tard, une automobile qui arrivait à bonne allure stoppa à courte distance du corps étendu.

A la portière apparut la tête du prince Falnerra.

— Qu'y a-t-il?... Pourquoi arrêtes-tu, Leblis?

— Votre Altesse, il y a un garçon étendu sur le chemin, répondit le chauffeur. Bianco, va voir s'il est mort ou vivant... à moins que ce ne soit un ivrogne.

Le valet de pied avait sauté lestement à terre et s'approchait de Michelino, qu'il examina attentivement... Puis il revint sur ses pas et s'avança vers la portière où se penchait toujours le prince.

— C'est un jeune domestique qui se trouvait depuis peu au service de Votre Altesse et qui a été renvoyé hier, je crois.

— Eh bien! qu'a-t-il?

— Il paraît sans connaissance, Votre Altesse.

— Voyons cela...

Sur un geste de son maître, le valet ouvrit la portière et don Salvatore, mettant vivement pied à terre, vint à Michelino.

Il se pencha, mit la main sur son cœur, puis regarda un instant le fin visage, si touchant dans la pâleur et son amaigrissement.

En se redressant, le prince déclara :

— Il est évanoui... Aide-moi à le porter dans la voiture.

Un instant plus tard, Michelino était étendu sur les moelleux coussins de l'automobile princière... En montant à son tour, don Salvatore jeta cet ordre au valet qui tenait la portière :

— Au palais!

Comme la voiture tournait pour reprendre la direction d'où elle venait, Michelino ouvrit les yeux... A la vue de celui qui était assis en face de lui, le regardant avec intérêt, il crut qu'il rêvait... Mais une voix au timbre profond, à l'intonation bienveillante, s'éleva, dissipant ses doutes.

— Allons, cela va mieux, je crois?

En même temps, don Salvatore se penchait et prenait dans sa fine main blanche le poignet du jeune garçon.

Michelino resta muet... Une immense stupéfaction se saisissait de lui. Que s'était-il passé?... Comment se trouvait-il dans cette superbe voiture?... Et pourquoi le prince Falnerra s'occupait-il de lui, chétive créature chassée par son majordome?

— Tu as la fièvre, mon petit... Que faisais-tu donc sur cette route... et dans ce costume?

Michelino balbutia :

— Le signor Guilio m'a renvoyé...

— Ah! pour ta maladresse d'hier?... Car c'est bien toi, n'est-ce pas? Je reconnais tes cheveux dont la nuance n'est pas banale.

Michelino dit faiblement :

— Oui, c'est moi.

— Guilio aurait en tout cas dû attendre que tu sois remis... Allons, ne prends pas cet air inquiet. Je vais te faire soigner... puis nous verrons ensuite.

Ces mots d'encouragement amenèrent une lueur de surprise et de joie timide dans les belles prunelles bleues qui s'attachaient sur le prince avec une craintive admiration... Sous l'excès de l'étonnement, Michelino ferma ses paupières, pour mieux réfléchir à l'étonnante aventure qui lui survenait.

Salvatore, le bras appuyé à l'accoudoir de velours, continuait de considérer le jeune garçon avec un bienveillant intérêt... L'égoïsme habituel aux êtres trop adulés, tel que l'était depuis son enfance le prince Falnerra, se trouvait heureusement combattu chez lui par une générosité naturelle. En outre, s'il se montrait un maître impérieux et de volonté inflexible, il était reconnu comme très juste par ses serviteurs qui, à peu près tous, avaient pour lui un attachement confinant chez quelques-uns à l'idolâtrie. Ainsi donc, il n'avait pu voir cet enfant malade, inhumainement renvoyé chez lui, sans être saisi de pitié et d'un vif mécontentement qu'il se réservait de marquer au responsable... De plus, la charmante physionomie de Michelino, sa réelle distinction l'avaient aussitôt frappé. Maintenant, en regardant le jeune garçon, il songeait :

« C'est curieux, cette figure me rappelle quelqu'un... Mais qui, voilà ce dont je ne puis me souvenir. »

L'automobile s'engageait dans l'avenue de palmiers... Elle vint s'arrêter devant le palais. Alors, don Salvatore, appelant du geste un des valets qui se tenaient à l'entrée, ordonna :

— Va me chercher Guilio.

Un instant après, le majordome arrivait précipitamment et venait s'incliner devant la portière ouverte... Mais il eut un haut-le-corps de stupéfaction en apercevant, à l'intérieur, le jeune valet congédié par lui assis en face de son maître.

Le prince ordonna :

— Tu vas faire porter cet enfant dans sa chambre

et tu veilleras à ce qu'il soit bien soigné. Qu'on appelle le médecin si cela est nécessaire... En un mot, je veux que tu répares le mal que tu as fait en le renvoyant sans souci de l'état où il se trouvait.

Devant le ton et le regard qui accompagnaient cette injonction, Guilio baissa humblement les yeux, en balbutiant :

— Votre Altesse sera obéie... Mais je ne savais pas... Il ne m'avait pas dit qu'il était malade...

— Cela devait pourtant se voir, quand il est parti ce matin... Allons, emporte-le avec Pietro... et aie soin à l'avenir d'agir avec plus d'humanité.

S'adressant à Michelino, don Salvatore ajouta d'un ton adouci :

— Va, mon petit... et ne te fais pas de souci. Je m'occuperai de toi quand tu seras mieux.

Un regard d'ardente reconnaissance le remercia... Et Michelino, tout faible encore, se laissa enlever par l'imposant Guilio et le valet Pietro qui l'emportèrent avec précaution, comme un colis précieux.

Il eut pendant deux jours une forte fièvre et de violents maux de tête. Le médecin, appelé par Guilio, déclara que cet enfant avait dû être surmené, qu'il lui fallait maintenant du repos, une nourriture fortifiante et beaucoup d'air. Ainsi, il guérirait vite et prendrait des forces, car sa constitution, quoique un peu délicate, ne présentait rien d'anormal.

Le prince, qui continuait de s'intéresser au jeune garçon, fut informé par Guilio de ce diagnostic.

— Eh bien! qu'on fasse pour lui le nécessaire, déclara-t-il. Et dès qu'il sera mieux, tu le mettras à mon service particulier. Là, il n'aura rien à faire, ou à peu près.

Guilio s'en alla rapporter l'heureuse nouvelle au

jeune malade, qui tressaillit de joie... Dans son âme reconnaissante et toute pénétrée d'admiration, un véritable culte se formait pour le beau prince aux yeux charmeurs et volontaires qui avait étendu sur lui sa protection. Il lui semblait qu'il pourrait supporter n'importe quoi, pourvu qu'on lui permît de le voir parfois et qu'il entendît de sa bouche quelques mots bienveillants... Mais c'était bien autre chose! Voici qu'il ferait partie de son personnel choisi, qu'il serait admis à le servir chaque jour... Jamais un tel rêve n'avait effleuré l'esprit de Michelino! C'était pour le pauvre garçon un véritable conte de fées. Il dit au majordome :

— Je vais tâcher de guérir vite, puisque Son Altesse a besoin de moi.

Guilio ne songea pas à lui répliquer que le prince lui donnait là, par bonté, une réelle sinécure. Michelino, devenu le protégé de son maître, lui inspirait maintenant une grande considération. Aussi veillait-il de près à ce que rien ne lui manquât, pour que le jeune valet ne pût formuler de plaintes à son sujet... Il suffisait déjà bien qu'à cause de lui Son Altesse eût vertement tancé le fidèle majordome qui s'employait pourtant avec un zèle infatigable, à lui épargner tout sujet de mécontentement.

— Et voyez comme votre maître est fantasque! confiait-il à Padruccio, l'intendant. Après que ce jeune maladroit eut jeté sur le marbre du péristyle quelques-unes de nos plus précieuses verreries, Son Altesse me fit appeler pour me demander où j'avais trouvé un serviteur aussi stupide que celui-là. Comme je m'en excusais, en ajoutant que j'allais le renvoyer dès le lendemain dans son village, il déclara : « Je le pense bien!... Et tâche d'avoir la main plus heureuse une autre fois... » Or, le lendemain, je recevais les plus sévères reproches pour avoir mis dehors ce même garçon !

— Le maître est capricieux, chacun le sait. Que voulez-vous, il voit tout le monde à ses pieds!... Enfin, vous en serez quitte, mon cher Guilio, pour témoigner plus d'attention à l'égard de son protégé... du moins tant qu'il lui portera quelque intérêt. Quant à moi, j'ai été interrogé hier au sujet de ce garçon, et j'ai répété à Son Altesse ce que m'ont raconté les gens qui l'avaient recueilli.

Don Salvatore, en effet, avant d'attacher Michelino à son service particulier, avait voulu savoir d'où il venait, quels étaient ses parents... Ce que lui apprit Padruccio ne l'étonna guère. Cet enfant, il l'avait deviné, était d'une autre race, au double point de vue moral et physique, que les paysans siciliens parmi lesquels il avait vécu. La sympathie qui l'avait porté vers cet abandonné s'en augmenta encore, et il résolut de lui faire un sort plus doux que celui auquel, jusqu'alors, il semblait appelé.

Quinze jours après la providentielle rencontre qui avait changé l'existence de Michelino, le majordome, à qui son maître demandait des nouvelles du jeune valet, répondit que celui-ci se trouvait beaucoup mieux et demandait à reprendre son service.

— Envoie-le-moi après le déjeuner, ordonna le prince.

A l'heure dite, Michelino, ayant revêtu sa livrée, se dirigea, tout tremblant d'émotion, vers le salon où, après le repas, se tenaient don Salvatore et sa mère.

La princesse Teresa était venue, de Rome, rejoindre son fils bien-aimé. Salvatore allait précisément au-devant d'elle, à Palerme, le matin où sa voiture avait failli écraser le corps de Michelino, étendu sur le chemin.

Elle était au courant de l'incident et, charitable entre toutes, elle n'avait pu qu'approuver la bonne action de son fils.

En voyant entrer le jeune valet rougissant et visiblement plein d'émoi, elle lui adressa un sourire encourageant, tandis que le prince l'interpellait avec bienveillance :

— Te voilà donc mieux, Michelino?

— Oui, Votre Altesse... Je remercie bien Votre Altesse de m'avoir fait soigner...

Le regard, plus encore que les paroles, témoignait de cette reconnaissance qui gonflait le cœur de Michelino.

Don Salvatore sourit.

— C'était mon devoir... et je l'ai d'ailleurs accompli avec plaisir, parce que tu m'as semblé un bon garçon... Il paraît que tu souhaites reprendre ton service?

— Oui, s'il plaît à Votre Altesse.

— Soit! Guilio te dira en quoi il consiste... Maintenant, raconte-moi donc un peu ton histoire?

Michelino répéta, d'un air surpris :

— Mon histoire?

— Oui... il paraît que les gens chez qui tu étais ne sont pas tes parents?... et que tu leur avais été confié par un inconnu qu'on ne revit plus jamais ensuite?

Une ombre douloureuse apparut dans les beaux yeux de Michelino.

— C'est vrai, Votre Altesse.

— Ainsi on n'a pu découvrir aucun indice?

— Aucun, à ma connaissance.

— Cet homme qui t'apporta chez Giorgio Templi

raconta, paraît-il, qu'il était envoyé par le comte Dorghèse?

— Giorgio me l'a dit, en effet... Mais Son Excellence a répondu qu'il ignorait tout de cette histoire.

Salvatore échangea un regard avec sa mère... Puis il demanda :

— Te rendaient-ils heureux, ces gens chez qui tu vivais?

Michelino, embarrassé, demeura un moment muet... Puis il répondit, en rougissant davantage :

— Je n'étais pas trop malheureux... Et c'était bien bon à eux de me garder, surtout que je ne leur servais pas à grand-chose, car je ne suis pas très fort.

— Allons, je vois que tu es un bon garçon et que l'on peut s'intéresser à toi... Pour le moment, va prendre l'air. Demain, tu commenceras ton service.

Quand le jeune valet se fut retiré, Salvatore se tourna vers sa mère.

— Eh bien! qu'en dites-vous?

— Je suis comme toi : cette physionomie éveille en moi comme un souvenir... Pourtant, ce n'est pas à don Cesare que cet enfant ressemble!

— Oh! en rien!... Et cependant, je soupçonne fort le comte Dorghèse d'être l'auteur de cet abandon. Mais il sera difficile de jamais le savoir, d'autant mieux que personne n'est plus habile en dissimulation que mon peu estimé cousin.

— Salvatore, tu exagères!

— Que voulez-vous, ma mère, telle est mon opinion sur lui, et je vous la dis sincèrement. Don Cesare n'est pas seulement un viveur impénitent, un homme capable de dévorer cent fortunes... il est aussi un fourbe pour lequel tous les moyens sont bons, fussent-ils les plus odieux. Je l'ai compris quand, il y a deux ans, il a feint la plus édifiante dévotion pour arriver à se faire léguer la fortune du vieux marquis Sandella.

— Évidemment, la manœuvre était fort laide, et j'ai parfaitement compris que tu aies dès lors cessé tous rapports avec lui... C'est que toi, mon Salvatore, tu es si hautement loyal, si intransigeant sur le chapitre de l'honneur!

Son regard orgueilleusement tendre enveloppait le jeune homme... Il sourit, en prenant la main de sa mère qu'il baisa affectueusement.

— C'est vous qui me l'avez enseigné... Pour en revenir à notre sujet, je crois qu'il sera bien difficile de connaître l'origine de cet enfant. Après tout, ce n'est peut-être pas désirable pour lui... Je vais l'étudier pendant quelque temps, puis je verrai ce qu'il y a lieu de faire à son égard.

— Pauvre petit, il est charmant... si fin, si distingué! Un type plutôt français, je crois... Et il a un regard si doux, si reconnaissant!

— En effet... Et il paraît intelligent. Vous vous expliquez donc ma sympathie spontanée pour lui?

— Entièrement!... Et je t'aiderai bien volontiers dans cette bonne œuvre, si ce petit étranger paraît digne de ta protection.

— Oh! chère mère, du moment où il s'agit de charité, je sais que vous êtes toujours prête!... Dans quelque temps, je vous dirai ce que je pense de Michelino. Je crois que ce sera beaucoup de bien... Maintenant, je vous quitte, car je suis en ce moment fort en veine de travail. Mon oratorio avance... Mais où trouverai-je les voix que je rêve?... Celles de la Vierge et de l'ange Gabriel surtout?

— Il me semble pourtant que tu n'as que le choix?

Salvatore secoua la tête.

— Je n'ai pas encore découvert celles qui réaliseraient pleinement mon rêve... Et j'attendrai de les avoir trouvées pour faire interpréter cette œuvre qui m'est si chère, car il me semble que j'y ai mis toute mon âme, tout ce que j'ai de meilleur en moi... Au cas où je ne découvrirais pas ce que je cherche, l'oratorio l'*Annonciation* restera inconnu. Voilà tout.

— Oh! Salvatore!... Et si c'est un chef-d'œuvre?

— Qu'importe? La perfection sublime dont je rêve, pour cette interprétation, pourra seule me satisfaire. Si, comme il est possible, je ne puis la trouver en ce monde, eh bien! j'aime mieux que cette œuvre n'en connaisse jamais d'autre.

Sur ces mots, Salvatore se leva et, appelant ses sloughis, deux bêtes superbes rapportées d'Afrique, il s'éloigna vers son appartement.

IV

Une nouvelle phase d'existence commençait pour Michelino... Elle s'annonçait plus heureuse que les précédentes. Les autres serviteurs — y compris Giuseppe, en dépit de sa secrète fureur — se gardaient maintenant de molester en quoi que ce soit l'enfant devenu le protégé du maître. D'ailleurs, beaucoup d'entre eux n'étant plus poussés contre lui reconnaissaient maintenant qu'ils avaient été trompés et accordaient au jeune valet une sympathie sincère.

Le service de Michelino se réduisait à peu de chose. Il passait une partie de la journée dans le grand vestibule à colonnes de porphyre qui précédait l'appartement du prince, toujours prêt à répondre à l'appel de celui-ci, introduisant les visiteurs, peu nombreux, car don Salvatore, venu ici pour travailler, acceptait rarement de recevoir ceux qui venaient lui faire leur cour ou solliciter son appui... Michelino pouvait ainsi, plusieurs fois par jour, voir passer le maître qu'il aimait et admirait passionnément, qu'il eût voulu servir à genoux. Don Salvatore lui adressait souvent quelques mots, effleurait parfois de sa belle main fine les cheveux aux teintes fauves. Il lui disait :

— Va donc te promener, Michelino, va... Je n'ai pas besoin de toi.

La princesse Teresa, elle aussi, quand elle venait chez son fils, parlait avec bonté au jeune valet. L'enfant au cœur tendre s'épanouissait dans cette atmosphère de bienveillance. Une amélioration de plus en plus sensible se manifestait dans sa santé. Il passait de longs moments dans les merveilleux jardins, aspirant l'air doux et pur, chargé de parfums... Son lieu de repos favori était un banc caché dans un bosquet de roses. A quelques pas de là se dressait un petit pavillon de marbre blanc, admirable spécimen de l'architecture arabe. Le prince Falnerra y venait presque chaque jour fumer les fines cigarettes d'Orient qui avaient sa préférence. Souvent, il prenait son violon et jouait quelque œuvre des maîtres, ou bien improvisait... Alors Michelino, immobile, frissonnant, écoutait avec un recueillement profond les phrases mélodiques auxquelles don Salvatore savait donner leur maximum de beauté, d'émotion puissante ou de charme enveloppant.

Quand le prince quittait le pavillon, Michelino le suivait d'un long regard qui exprimait tout son dévouement passionné, humble, sans limites. Il enviait les sloughis, Nero et Lulla, qui suivaient le maître partout, qui se couchaient à ses pieds. Don Salvatore lui apparaissait comme un être infiniment supérieur, pour lequel, s'il le fallait, il donnerait sa vie avec joie.

Parfois, dans ses promenades à travers les jardins, le jeune valet rencontrait un homme d'une quarantaine d'années, petit, maigre, aux cheveux châtains clairsemés, à la physionomie pensive, un peu fermée. Celui-là représentait encore une bonne action du prince Falnerra. Au cours d'un voyage en Provence, don Salvatore avait sauvé le malheureux au moment où il allait se suicider en se jetant du haut d'un rocher dans la mer. Justin Lormès, organiste dans une ville provençale, s'était vu abandonner de sa femme qui lui avait préalablement mangé ses économies. Sa mère en était morte de chagrin et lui, en un moment de désespoir, avait cherché à attenter à sa vie... Tout cela, il le raconta au prince, et celui-ci, ayant reconnu en cet homme une nature droite, honnête mais faible, résolut d'achever ce sauvetage. Il fit de lui son second secrétaire, spécialement chargé de tout ce qui avait trait à la partie musicale. Il ne devait d'ailleurs pas le regretter, car on ne pouvait imaginer dévouement plus profond, plus absolu que celui de Lormès à son égard. Don Salvatore disait parfois en riant :

— L'attachement de ce brave homme pour moi est presque du fanatisme, et je ne conseillerais à personne de se fier à son air tranquille et renfermé, car si quelqu'un m'attaquait, cet homme-là deviendrait féroce!

Le secrétaire, deux ou trois fois, avait adressé la parole au jeune valet qu'il savait protégé par le prince. La reconnaissance qu'il constata chez Michelino, à l'égard de son maître, le disposa aussitôt à la sympathie... Un après-midi, il causa avec lui plus longuement, et le jeune garçon lui confia que maintenant, étant mieux portant, l'inaction lui pesait beaucoup.

— Allons, c'est bien, vous n'êtes pas un paresseux, dit Lormès d'un ton approbateur. Le tout est de vous donner un travail en rapport avec vos forces... Qu'est-ce que vous aimeriez, voyons?

Michelino rougit un peu.

— J'aimerais à m'instruire... Je sais tout juste lire,

écrire, compter. A dix ans, on ne m'a plus envoyé à l'école, parce que Giorgio disait que c'était trop loin et qu'on avait besoin de moi pour travailler.

— Eh bien! il faut parler de votre désir à Son Altesse.

Michelino secoua la tête.

— Je n'ose pas! Son Altesse trouverait d'ailleurs que je suis bien difficile de ne pas me contenter du beau sort qui m'est fait... et c'est vrai, après tout.

— Allons donc, mon enfant, le prince est d'un caractère trop élevé pour avoir cette idée-là! Il appréciera au contraire ce désir de travail, d'instruction, qui est tout à votre honneur.

Au cours de l'après-midi du lendemain, Michelino, appelé par la sonnerie du maître, entra dans la pièce immense et magnifique dont le prince avait fait son cabinet de travail. Les murs en étaient garnis de fresques de Tiepolo. Sur le pavé en mosaïque de Florence étaient jetés quelques tapis d'Orient d'une inestimable valeur. Des orgues au buffet décoré d'admirables sculptures occupaient tout le fond de cette salle. Un piano à queue recouvert d'un ancien brocart tissé d'or, un bureau du XVIème siècle, en ébène incrusté d'ivoire, une table où s'étalaient des feuilles couvertes de signes musicaux, des instruments à cordes, une très vaste bibliothèque remplie de partitions et de livres anciens et modernes, un tableau du Titien et un autre de Goya, sur deux chevalets, deux statues antiques s'érigeant parmi des gerbes de roses jaillies de vases ciselés par Benvenuto Cellini, dénotaient les goûts intellectuels et artistiques du maître de céans.

Michelino, dont le pas léger effleurait la précieuse mosaïque, vint s'arrêter à quelques pas du bureau où le prince écrivait.

Don Salvatore posa la plume et s'accoudant, le menton sur la main, il demanda :

— Eh bien! tu en as assez de faire le lézard, Michelino?

Le jeune garçon rougit.

— Je ferai ce que Votre Altesse voudra...

— Moi, je ne demande pas mieux que tu t'instruises, mon petit, si c'est dans tes goûts. Tu me parais un excellent garçon, et je crois qu'au point de vue intelligence tu peux arriver à quelque chose... Voici donc ce que j'ai décidé : M. Lormès va t'apprendre le français, car résidant une partie de l'année en France, je tiens à ce que tous mes domestiques italiens connaissent cette langue. En outre, le père Gellini te donnera des leçons, avec modération, ta santé ayant encore besoin d'être ménagée... Par ailleurs, tu continueras ton service, qui n'a rien de fatigant. Nous verrons plus tard de quel côté il convient de te diriger.

Michelino remercia, en balbutiant de joie. Son beau regard si expressif parlait d'ailleurs mieux que tout.

Don Salvatore sourit, en congédiant l'enfant d'un geste bienveillant. Il le regarda s'éloigner en songeant : « Plus tard, j'en ferai un de mes secrétaires. Il me sera probablement tout dévoué, lui aussi, pauvre garçon! »

Le père Gellini, chapelain du prince Falnerra, était un petit vieillard sec et alerte, d'esprit vif et de cœur très bon. Il avait accepté avec empressement la tâche qui lui était offerte et, dès les premiers jours, put constater que son élève lui donnerait de grandes satisfactions.

— Il n'a pas une intelligence médiocre, cet enfant-là, déclara-t-il au prince. Et avec cela travailleur, plein de bonne volonté... Je crois que Votre Altesse a bien raison de s'intéresser à lui.

Justin Lormès, de son côté, se montrait enchanté de la facilité avec laquelle Michelino s'assimilait la langue française... Comme il en faisait la remarque à don Salvatore, celui-ci répliqua :

— Voilà qui appuierait encore mon idée que cet enfant est français. Il parlait d'ailleurs cette langue quand on l'a amené chez Giorgio Templi.

Un après-midi du début de mai, Michelino accompagna son maître qui se rendait en automobile à Palerme. Il arrivait fréquemment que le prince, pour que son protégé absorbât une plus ample provision d'air, lui fit prendre la place du valet de pied, près du chauffeur... Ce jour-là, don Salvatore allait rendre visite à Maria Tegrini, la cantatrice vénitienne qui avait créé le principal rôle d'une de ses œuvres précédentes. Elle venait passer quelques semaines à Palerme, soi-disant pour rétablir sa santé chancelante... en réalité pour se rapprocher du prince Falnerra dont elle était ardemment éprise.

Elle reçut Salvatore dans le salon de l'appartement retenu par elle dans l'un des premiers hôtels de la capitale sicilienne. Une robe de soie violette faisait valoir la teinte rousse de ses cheveux et la mate blancheur de son teint. Elle n'était pas régulièrement belle, mais elle avait beaucoup de feu, beaucoup d'expression dans ses yeux noirs et en toute sa personne une grâce souple et vive... Mais pas plus aujourd'hui que naguère, le prince ne parut ému ni troublé. Jamais il n'avait voulu s'apercevoir des sentiments de l'ardente Vénitienne à son égard. Sa nature indépendante ne s'était pas attardée aux caprices qui avaient traversé sa vie et le rendait peu désireux d'en rechercher d'autres... Toutefois, son orgueil d'homme se plaisait à l'encens que faisaient monter vers lui ces cœurs de femmes dont il dédaignait l'offrande passionnée. Il aimait à voir, sur les visages frémissants, dans les yeux ardents ou pleins de douceur, le trouble et l'émoi qu'il suscitait en ces âmes, sans même qu'il le cherchât, tant était puissante, chez lui, la séduction naturelle, augmentée du prestige de son rang, de sa supériorité intellectuelle et de son magnifique génie musical.

Qu'il fût ainsi cause de souffrance, il n'y songeait guère, le beau prince Falnerra. Comme la plupart des hommes qui connaissent la subtile flatterie des adorations féminines, il tenait en secret mépris celles qui étaient prêtes à lui faire tous les sacrifices, y compris celui de leur honneur... Et il gardait ainsi son cœur libre, son existence sans entraves, cette fière indépendance qui lui était chère et que jamais, s'assurait-il à lui-même, il ne ferait courber devant l'amour, si celui-ci venait le visiter un jour.

Maria Tegrini vit donc aussitôt, ce jour-là, que son charme restait encore sans effet. Aimable et courtois, avec cette nuance de réserve hautaine qui lui était habituelle dans ses relations mondaines, le prince l'entretint de son séjour à Palerme, de questions musicales, et l'invita à venir visiter son palais et ses jardins un jour de la semaine suivante.

Elle pensa : « Peut-être, si je le vois quelquefois, pourrai-je arriver à le fléchir... Car je l'aime plus encore qu'autrefois! Je l'aime à en devenir folle! »

Quand don Salvatore la quitta, Maria l'accompagna jusqu'à l'escalier. Penchée sur la rampe, elle le regarda descendre. Puis elle rentra dans le salon et, placée devant une haute glace, elle s'examina longuement.

Oui, cette robe seyait admirablement à sa haute taille souple, à son teint, à sa chevelure dont un poète célèbre avait récemment chanté la beauté... Des bras d'une forme parfaite, d'une mate blancheur, sortaient des larges manches soyeuses. Les yeux avaient un éclat brûlant que tamisaient les longs cils bruns bordant les blanches paupières frémissantes. Maria songea tout haut :

« Je suis belle pourtant... J'ai de nombreux admirateurs... Et lui... lui ne veut pas s'apercevoir qu'il me fait mourir d'amour! »

Elle s'approcha de la fenêtre, et, se penchant, regarda l'automobile qui s'éloignait. Un soupir gonfla sa poitrine. Mais presque aussitôt une lueur s'alluma dans ses yeux noirs, tandis qu'elle murmurait d'un accent presque farouche :

« Oh! celle qu'il aimera... comme je la détesterai... comme je la haïrai! »

V

Une huitaine de jours plus tard, en rentrant un matin de sa promenade à cheval, le prince Falnerra vit venir à lui un domestique qui l'informa :

— Son Excellence le comte Dorghèse est là, demandant un entretien à Votre Altesse.

Salvatore eut un mouvement de surprise irritée... Quoi! il osait, sachant l'opinion qu'avait de lui son jeune parent!

Les yeux sombres, la mine tout à coup durcie, le prince marcha vers l'entrée du salon où avait été introduit don Cesare. Le valet chuchota à l'oreille d'un de ses collègues :

— Eh bien! je crois que la visite ne plaît guère à Son Altesse! As-tu vu son air? Et ce mouvement de sa cravache? Comme si, vraiment, il avait envie de la faire sentir au comte Dorghèse! Ah! ça pourrait bien être chaud! Car lorsque Son Altesse se fâche...

Au bruit de la porte qui s'ouvrait sous la main du prince, un homme debout devant l'une des fenêtres se détourna. De taille moyenne, mince et de tournure élégante, le comte Cesare Dorghèse ne paraissait pas tout d'abord la cinquantaine qu'il avait pourtant dépassée quelque peu. A peine la calvitie commençait-elle de clairsemer les cheveux châtain foncé ondulés avec art. Les yeux bruns aux lueurs changeantes conservaient la vivacité à la fois caressante et impérieuse qui avait subjugué nombre de cœurs féminins. Mais le visage mat, aux belles lignes classiques, portait les marques des passions dont était tissue l'existence du comte Dorghèse jusqu'à ce jour; masque du viveur fatigué, du joueur acharné à poursuivre la chance depuis trente ans, de l'homme sans cesse réduit aux expédients et y recourant sans scrupules, quels qu'ils fussent.

Néanmoins, tel qu'il était là, don Cesare conservait une grande partie de la séduction qui l'avait rendu si dangereux... qui avait perdu tant d'âmes.

Il fit quelques pas vers le prince Falnerra qui s'était arrêté au milieu de la pièce, en attachant sur lui un regard chargé de hautain mépris.

— Vous m'excuserez, Salvatore, de venir vous déranger...

Le prince l'interrompit, d'un ton bref et cinglant :

— Je m'étonne que vous soyez ici, après que je vous ai fait connaître, il y a deux ans, la façon dont je jugeais vos manœuvres autour du marquis Sandella.

— C'est que j'ai vu surtout, dans votre conduite à cette époque, l'intransigeance habituelle à la jeunesse. Vous n'avez aperçu là, comme vous le dites, que « la manœuvre ». Or, cet excellent don Luigi m'inspirait une sincère affection. De plus, par mes soins, il a vu ses derniers jours adoucis et ses souffrances allégées... Quoi de plus juste, en ce cas, qu'il ait songé à me remercier en me léguant sa fortune?

— Au détriment de ses parents?

— Il n'avait que des neveux, qui le délaissaient.

— Parce que vous aviez eu le soin de les écarter de lui, par des rapports calomnieux.

Les paupières du comte battirent légèrement. Mais sa voix resta calme, avec ses habituelles intonations musicales et prenantes, tandis qu'il répliquait d'un air de dignité :

— Je ne relèverai pas ce que vos propos ont d'injurieux pour moi, Salvatore. Mais souvenez-vous que les parents de don Luigi, d'abord résolus à m'intenter un procès en captation, y ont renoncé bientôt, faute de preuves... Or, c'est sans preuves aussi que vous m'accusez.

Le prince riposta d'un ton glacé :

— J'ai des preuves morales, et elles me suffisent.

Les prunelles du comte Dorghèse étincelèrent, pendant quelques secondes, puis se voilèrent sous les paupières légèrement ridées.

Salvatore ajouta, du même accent de froid dédain :

— Aussi je me demande ce que vous venez faire ici?

— Ce que je viens faire? Vous prier de sauver l'honneur de la famille.

Salvatore eut un brusque mouvement, en toisant avec une hauteur mêlée d'inquiétude le triste personnage.

— Que voulez-vous dire?

— Je dois trois cent mille lires à Jacob Goresko... et je n'en ai pas cinquante mille à lui donner.

— A Jacob Goresko? Qu'avez-vous donc eu affaire à ce banquier roumain?

— A lui, non pas directement... Mais voulant se venger de moi, il a racheté diverses créances, de-ci de-là... et, maintenant, il en exige le remboursement immédiat... sous peine de poursuites. J'ai essayé d'emprunter... à des amis, à des usuriers. Mais tous se sont récusés. Alors j'ai songé à vous, mon seul parent...

Le prince, dont les sourcils étaient violemment froncés, l'interrompit d'un ton sec :

— N'y a-t-il pas eu quelque histoire, autrefois, à propos de la femme de ce Goresko?... N'a-t-il pas, cet homme, quelque motif de vous en vouloir furieusement?

Don Cesare eut un sourire nuancé de cynisme.

— Croyez-vous donc que si ce motif existait, il n'en aurait pas déjà usé contre moi?

— Je vous devine assez adroit pour ne pas donner prise à l'adversaire, en des cas semblables. Mais, à lui aussi, des preuves morales suffisent, probablement.

Le comte ne parut pas s'apercevoir de la glaciale ironie contenue dans l'accent de son jeune parent. Il reprit, toujours calme :

— Enfin, que Goresko ait des raisons ou non de me détester, il existe un fait certain : c'est que si demain, après-demain au plus tard, il n'est pas désintéressé, je suis poursuivi... et le nom de Dorghèse est déshonoré.

— Je crois que vous avez tout fait, depuis longtemps, pour en arriver là. Mais vous aviez eu la chance de tomber sur des créanciers plus accommodants que Jacob Goresko... Ainsi donc, la fortune du marquis Sandella est déjà dissipée?

— Il m'en reste environ trente mille lires... Que voulez-vous, Salvatore, je ne puis garder d'argent entre les mains! Le plaisir... ma générosité habituelle...

— Et le jeu... A quoi me servirait de solder votre dette? Demain, vous recommencerez... vous viendrez encore me demander de sauver l'honneur de notre nom, compromis dans quelque nouvelle affaire.

— Non, car je suis las maintenant de cette existence et j'ai décidé d'en changer. Aussi ai-je à ce sujet une autre demande à vous adresser. Voulez-vous me louer mon ancienne villa de Tebani? Je m'y retirerai pour y mener une vie simple et paisible, peu coûteuse — la seule qui soit désormais en rapport avec ma situation.

Un sourire d'incrédulité railleuse entrouvrit les lèvres de Salvatore.

— Vous voulez vous faire ermite? Je ne vous vois pas sous cet aspect. La villa n'est pas à louer. Quant à votre autre demande...

Pendant quelques secondes, le prince resta silencieux, réfléchissant, son regard dur et méfiant attaché sur le visage impassible, aux yeux caressants et impénétrables.

Puis il déclara d'un ton net, froidement impératif :

— Je ferai verser à Goresko les trois cent mille lires, mais à une condition...

— Laquelle?

— C'est que vous me direz toute la vérité au sujet d'un enfant amené en votre nom, il y a neuf ans, à l'un des paysans de votre domaine de Tebani, Giorgio Templi.

Don Cesare eut un mouvement de vive surprise.

— Que me racontez-vous là? Que signifie cette histoire? Le curé de Tebani m'a écrit à ce sujet, il y a quelques années. Je lui ai répondu que je ne savais pas du tout de quoi il était question... Et je n'ai également que cette réponse à vous faire, Salvatore.

— Cependant votre nom a été donné par cet inconnu qui amena l'enfant.

— Cela ne prouve rien. Il fallait bien ce moyen

pour capter la confiance du paysan... Mais je puis vous affirmer, vous jurer si vous le voulez, que je ne suis pour rien là-dedans et que cet enfant m'est complètement inconnu.

L'accent parut sincère à Salvatore. Après un nouvel instant de réflexion, le prince déclara :

— Soit, je veux bien vous croire... Ainsi donc, c'est chose entendue, Goresko sera payé. Mais souvenez-vous, don Cesare, qu'il ne me conviendrait pas de renouveler ce geste.

— Je vous le répète, Salvatore, j'ai décidé de changer d'existence. Au reste, je ne vous demande pas un don, mais seulement un prêt. Il est possible que d'ici quelque temps une opération que j'ai en vue me donne de beaux bénéfices, qui me permettront de vous rembourser.

— Une opération... financière?

Le comte eut une brève lueur dans ses prunelles changeantes.

— Oui, c'est cela.

— Et honorable, je l'espère?

— Certainement... Oh! soyez sans crainte, je ne veux pas tacher le nom de Dorghèse! Il fallait d'ailleurs ce puissant motif pour m'amener à faire cette démarche près de vous qui m'avez traité avec si peu de ménagements.

— Je suis franc, don Cesare, et je vous ai dit sans ambages la façon dont je jugeais votre conduite. Aujourd'hui, je vous répéterais la même chose... Ne voyez donc pas dans l'aide que je vous apporte l'indice d'une réconciliation. A ceux que je ne puis estimer, il ne me convient pas de tendre la main.

Cette fois, le teint du comte devint d'une pâleur presque livide. Les lèvres serrées, les yeux paraissant presque noirs, don Cesare recula de quelques pas, sous le regard d'écrasant dédain. Puis il dit avec un accent de sourde fureur :

— C'est une nouvelle injure que vous me faites, Salvatore.

— Une nouvelle? Non, je continue simplement de vous juger comme il convient. Plaise au Ciel que vous me donniez l'occasion de changer d'avis! Je le désire le plus sincèrement du monde.

Le comte Dorghèse parut faire un violent effort sur lui-même pour reprendre son calme un instant troublé. Il dit avec un léger frémissement dans la voix :

— Peut-être vous repentirez-vous un jour de m'avoir traité avec tant d'injuste rigueur. La jeunesse est dure à qui n'a pas réussi... Adieu, Salvatore. Je vous enverrai dès demain le papier constatant que je vous dois ces trois cent mille lires.

Le prince eut une légère inclination de tête et le regarda sortir sans l'accompagner. Quand le visiteur fut hors de la pièce, il quitta celle-ci à son tour et se dirigea vers son appartement. Une irritation contenue assombrissait ses yeux et donnait à sa physionomie une expression de dureté qui ne lui était pas habituelle. C'est que don Cesare avait toujours été l'objet de sa profonde antipathie. Tout enfant, il ne pouvait le souffrir, en dépit des flatteries et de l'empressement discret dont il se voyait l'objet de sa part. Plus tard, il avait appris quel triste personnage était, au point de vue moral, ce descendant d'une des grandes familles romaines. La captation d'héritage dont le comte s'était rendu coupable deux ans auparavant avait achevé d'édifier son jeune cousin à son sujet. Aussi le prince Falnerra avait-il rompu avec lui, sans éclat, mais de façon fort nette.

Il n'avait donc pu le voir aujourd'hui sans ressentir à nouveau, plus vivement que jamais, cette antipathie, cette répulsion plutôt, toujours éprouvée en présence de cet homme dont tant d'autres, cependant, avaient subi l'influence fascinatrice. Et l'aisance du comte, au cours de cette démarche pénible, humiliante, venait de lui démontrer combien il était insensible à la honte, combien le sentiment de la dignité lui demeurait inconnu.

« Ah! plutôt que de venir solliciter celui qui m'aurait jugé comme je l'ai fait de lui, j'aurais mieux aimé les pires tortures! songeait Salvatore, l'âme soulevée de mépris. Mais il a dû marcher depuis longtemps sur sa conscience, sur son honneur... peut-être plus encore que je ne le crois. »

Ainsi absorbé dans ses pensées, le prince traversa le vestibule sans accorder d'attention à Michelino qui se tenait à son poste et se levait en entendant le bruit des pas, le cliquetis des éperons sur le pavé de marbre. Le jeune valet ouvrit devant lui la porte de l'appartement et s'effaça, tout en jetant un coup d'œil inquiet sur la physionomie assombrie de son maître.

Don Salvatore s'en aperçut et l'interpella d'un ton sec :

— Comment te permets-tu de me regarder ainsi? Tu as encore beaucoup à faire pour devenir un domestique bien stylé. Demande donc des leçons à Guilio; tu en as bien besoin.

Le pauvre Michelino, habitué à plus d'indulgence, rougit et recula instinctivement devant le regard chargé d'orage qui s'abaissait vers lui. Doucement, d'une main qui tremblait, il referma la porte derrière le prince, puis alla s'écrouler sur un siège. Là, le front entre ses mains, il se mit à pleurer.

Jamais encore son maître, son idole, ne lui avait parlé ainsi. Qu'avait-il donc ce matin? Est-ce que ce serait déjà fini cette bonté, cette sympathie qu'il témoignait au pauvre petit abandonné? Quelqu'un lui aurait-il dit du mal de son protégé?

« Oh! si cela était... s'il fallait qu'il retombât dans sa triste existence, sans protection, sans que personne ne se souciât de lui, jamais... jamais il ne pourrait le supporter maintenant! Être séparé de son maître bien-aimé, ce serait la mort pour lui. »

Et Michelino, le cœur gonflé d'angoisse, laissait couler de grosses larmes le long de ses joues pâlies.

Dix heures sonnèrent à l'horloge ancienne placée dans le vestibule. Michelino se souvint alors que M. Lormès devait l'attendre pour lui donner sa leçon de français. Il se leva, essuya ses yeux, et le cœur toujours bien gros, monta jusqu'à la chambre du secrétaire.

Mais il s'arrêta près de la porte. Les sons d'un piano se faisaient entendre. L'ancien organiste interprétait avec beaucoup d'expression, avec un jeu souple et fin, une sonate de Mozart.

Michelino, oubliant un instant son chagrin, écoutait avec recueillement. Quand le piano se tut, il frappa à la porte et entra sur l'invitation du secrétaire.

— Eh! vous êtes en retard, Michelino!

— J'étais là depuis un moment, monsieur. Mais je ne voulais pas vous déranger pendant que vous jouiez. C'était si beau, d'ailleurs!

— Oui, vous aimez la musique, je sais ça... Voyons, si je vous apprenais un peu le solfège?

— Oh! monsieur, je serais si content!

— Eh bien! c'est facile. Je ne crois pas que Son Altesse y trouve quelque inconvénient... Tenez, nous allons voir tout de suite si vous avez un joli filet de voix...

A ce moment seulement, le secrétaire s'aperçut que l'enfant avait les yeux rouges.

— Quoi donc? Qu'avez-vous, mon petit? On dirait que vous avez pleuré?

Michelino rougit, en murmurant d'un ton étouffé :

— Oui, c'est vrai, monsieur.

— A quel propos? Quelqu'un vous aurait-il chagriné?

— C'est Son Altesse...

— Comment, Son Altesse?

Michelino raconta alors au secrétaire ce qui s'était passé. Lormès eut un sourire mélancolique, en frappant doucement sur l'épaule du jeune garçon.

— Oh! petit être trop sensitif! La vie sera dure pour vous, mon pauvre enfant, surtout dans la position dépendante qui restera vraisemblablement la vôtre. Il faudra tâcher de vous aguerrir, pour mieux supporter les chocs de la vie... Celui-ci est peu de chose, en somme. Le prince, jusqu'alors, s'est montré extrêmement bon pour vous. Mais il a des moments de vivacité, des sautes d'humeur... J'en fais l'expérience moi-même, voyez-vous, mon enfant. Que ce soit un peu pénible, parfois, je n'en disconviens pas... mais l'ardente reconnaissance que je conserve à Son Altesse, l'affection profonde et le dévouement sans limites qu'elle a su m'inspirer, me font oublier bien vite des moments un peu désagréables.

Michelino dit en réprimant un sanglot :

— C'est que je l'aime tant! Et je serais bien malheureux s'il restait fâché contre moi!

— Petit sot! Je suis bien sûr qu'il n'y pense même plus! Allons, écoutez bien ce que je vais vous apprendre.

Et Justin Lormès commença d'enseigner au jeune garçon les premières notions du solfège. Puis, quand les notes furent — très rapidement entrées — dans la mémoire de Michelino, il commença de le faire solfier.

Aux premiers sons qui sortirent de la gorge de l'enfant, le secrétaire eut un tresaillement et sa physionomie prit une expression extraordinairement attentive... Le timbre était d'une pureté rare, qui enchanta aussitôt ce connaisseur. La main nerveuse du musicien frappait des notes plus hautes... toujours plus hautes... Et la voix de Michelino montait toujours aussi pure, vraiment admirable.

Tout à coup, bondissant sur la banquette, le calme Lormès se mit debout et, saisissant le bras de Michelino stupéfait, il l'entraîna hors de la chambre en criant :

— Attends, attends, petit scélérat, qui ne nous révélais pas ce trésor! Oh! tu avais peur d'avoir encouru la disgrâce de Son Altesse? Eh bien! tu vas voir... tu vas voir!

VI

Michelino, ahuri et inquiet, n'essayait pas de résister. Lormès et lui arrivèrent ainsi jusqu'à l'appartement du prince. Le secrétaire, toujours tenant l'enfant par le bras, entra dans le salon qui précédait le cabinet de travail et, avisant le premier valet de chambre qui le traversait à ce moment, il s'informa :

— Le prince est-il dans son cabinet, monsieur Hardel?

Hardel, un Français lui aussi, et un personnage fort important, car il était l'homme de confiance de son maître, répondit affirmativement en ajoutant :

— Mais Son Altesse travaille et ne veut pas être dérangée, à moins de motif tout à fait sérieux.

— Eh bien! mais j'en ai, un motif sérieux... et qui va lui faire un fameux plaisir! Allons, venez, petit!

Et Lormès se dirigea vers la porte du cabinet de travail.

Mais, cette fois, Michelino résista.

— Non, non!... Je ne veux pas que Son Altesse se fâche encore contre moi! Punissez-moi si j'ai fait quelque chose de mal... sans le savoir... mais ne me faites pas gronder par « lui »!

— Vous faire gronder? Ah! bien oui! Vous allez voir!

Et, délibérément, le secrétaire frappa à la porte, derrière laquelle commençaient de se faire entendre les sons de l'orgue.

Ceux-ci se turent et une voix impatiente cria :

— Entrez!

Lormès, ouvrant la porte, poussa devant lui le pauvre Michelino, pâle et tremblant, et qui n'osait lever les yeux.

Don Salvatore, en se détournant sur le haut tabouret, demanda d'un ton de surprise fortement nuancé de mécontentement :

— Eh bien! que vous arrive-t-il, Lormès? Je ne vous ai pas demandé... Et pourquoi m'amenez-vous ce garçon? Qu'a-t-il fait?

Il abaissait en même temps un regard sévère sur Michelino, lequel avait bien à ce moment toute l'apparence d'un coupable!

Lormès dit avec un accent de triomphe contenu :

— Que Votre Altesse me permette de le faire solfier devant elle... Et elle verra!

— Soit! Lui avez-vous découvert une voix extraordinaire?

— Votre Altesse va voir!

Et le secrétaire, toujours tenant le jeune valet, alla s'asseoir devant le piano. Là, ayant lâché Michelino, il lui dit :

— Chantez les notes, comme tout à l'heure, mon cher enfant.

Mais ce fut en vain que Michelino essaya de faire sortir les sons de son gosier contracté... Lormès s'énervait, marmottait des : « Est-ce ridicule! Quel enfant stupide!... Voyons, voyons, mon petit! » Don

Salvatore, ayant quitté l'orgue, s'accoudait au dossier haut d'un fauteuil, en suivant cette scène d'un regard impatienté.

— Si c'est pour cela que vous m'avez dérangé, Lormès, vous auriez pu vous en dispenser! dit-il sèchement. Tout aussi bien, plus tard, vous auriez tenté de faire sortir quelque chose de cette gorge rebelle.

— Mais je voulais faire jouir aussitôt Votre Altesse de la grande satisfaction qui... Oh! ce Michelino! C'est qu'il a peur de Votre Altesse.

— Comment, il a peur de moi?

— Oui... parce que Votre Altesse lui a parlé tout à l'heure avec un peu de sévérité... Alors, il est si sensible, ce garçon, et il aime tant son maître qu'il en a été tout bouleversé...

Le regard de Salvatore s'adoucit en s'attachant au visage confus et empourpré du jeune garçon.

— Allons, Michelino, il ne faut rien exagérer! Si je t'ai fait une observation, il ne s'ensuit pas que je te juge mal... Au contraire, je pense toujours que tu es un excellent enfant, très digne de ma protection.

Et, voyant les yeux de Michelino s'éclairer tout à coup sous l'empire du soulagement, de la joie profonde, il ajouta :

— Maintenant que te voilà rassuré, tâche de faire sortir ta voix.

Oh! elle sortit, cette fois, et dans toute son idéale pureté, la jeune voix aux sonorités de cristal! Immobile, les yeux étincelants d'une lueur de triomphe, le prince écoutait. Quand Lormès se détourna et rencontra ce regard, il dit d'un ton frémissant d'allégresse :

— Eh bien! Altesse?

— Eh bien! mon brave Lormès, vous avez découvert ce que je cherchais! Voilà celui qui chantera les soli de l'ange Gabriel... et de quelle admirable façon!

En achevant ces mots, don Salvatore s'approcha de Michelino, qui regardait son maître avec étonnement, car il ne comprenait rien à ces paroles. Posant ses mains sur les épaules de l'enfant, le prince dit gaiement:

— Mon petit Michelino, tu vas quitter cette livrée. Désormais, tu ne fais plus partie de ma domesticité. M. Lormès t'enseignera à te servir de ta voix qui me plaît beaucoup... Je n'ai pas besoin de vous recommander, Lormès, d'y aller avec précaution. A son âge, il n'a pas longtemps encore à la conserver, cette voix idéale, cette voix angélique.

— J'en prendrai grand soin, Votre Altesse peut être tranquille!

— Tu auras là un bon professeur, Michelino... et je crois que tu seras un parfait élève. Cela te fera-t-il plaisir d'apprendre le chant et la musique?

— Oh! Votre Altesse...

Un regard chargé de bonheur, débordant de reconnaissance, compléta la réponse.

Don Salvatore lui donna une tape amicale sur la joue.

— Très bien! Tu es content... et moi aussi. Je pense que te voilà bien rassuré, maintenant?

Et sur la réponse affirmative du jeune garçon, il ajouta en riant :

— Mais tu sais, mon petit, si tu te désoles chaque fois que je t'adresserai un reproche ou bien que je m'impatienterai... eh bien! tu n'as pas fini! Quand je te ferai chanter surtout; comme il me faudra la perfection, tu verras que je ne suis pas toujours très facile.

Michelino dit avec ferveur.

— Je ferai tout mon possible pour contenter Votre Altesse.

— Tu es un bon enfant, pour lequel j'ai beaucoup de sympathie... Allons, va, maintenant.

Quand Michelino fut sorti, don Salvatore se tourna vers Lormès, en disant d'un ton d'allégresse :

— Enfin, voilà un de mes rêves réalisés! Mais l'autre... la voix de femme qu'il me faut, la trouverai-je jamais?

— Qui sait, Altesse? Tout arrive!

Ce même jour, dans l'après-midi, Maria Tegrini, répondant à l'invitation que lui avait adressée le prince, vint au palais Falnerra. Don Salvatore lui fit visiter sa demeure et les incomparables jardins. Puis une collation fut servie sur la grande terrasse de marbre d'où la vue s'étendait jusqu'à la mer éblouissante sous le ciel lumineux. La princesse Teresa en fit les honneurs avec sa grâce habituelle. Maria était fort en beauté, dans une toilette d'une élégance extrême, dont les tons vifs seyaient à sa physionomie ardente. Par ses flatteries discrètes, par sa coquetterie séductrice, par ses brûlants regards, elle essayait à nouveau de conquérir le prince Falnerra. Mais elle se heurtait à cette volonté qu'elle avait déjà sentie chez lui de ne pas dépasser les limites d'un flirt sans conséquence. Et cette attitude exaspérait encore la passion chez cette femme si violemment éprise.

Comme don Salvatore parlait d'une personnalité

du monde romain rencontrée par lui à Palerme, la cantatrice fit observer :

— Mais il y a aussi le comte Dorghèse... le beau don Cesare, comme on l'appelait autrefois. Je l'ai aperçu hier. Il est toujours bien et d'allure vraiment jeune. Ne possède-t-il pas un domaine par ici?

Ce fut la princesse Teresa qui répondit :

— Non, il l'a vendu à mon fils voilà plusieurs années.

Salvatore, lui, ne parut pas accorder d'attention à ces paroles. Son regard s'était légèrement assombri à cette évocation de l'homme qu'il méprisait. Après un court silence, il dit à Maria :

— Je compte sur vous pour l'oratorio que je termine. Il y a là un solo — celui d'Anne, mère de la Vierge — qui conviendra admirablement à votre belle voix pleine, aux sonorités si riches.

Un éclair de joie passa dans les yeux noirs de la cantatrice.

— Certes, je serai tout à la disposition de Votre Altesse.

Puis aussitôt, saisie d'une crainte jalouse, elle s'informa :

— Qui chantera les autres parties?

— J'ai trouvé la voix que je cherchais pour l'ange Gabriel... une merveilleuse voix de jeune garçon! Mais pour celle de la Vierge, non, je n'ai pas encore découvert ce que je veux. Oh! je suis difficile... terriblement difficile, je le sais bien! Je rêve de perfection... et c'est une folie, en ce monde.

L'expressive physionomie de la Vénitienne laissait voir sa secrète contrariété... Salvatore s'en aperçut, car un sourire d'ironie amusée vint à ses lèvres. Comme la collation était terminée, il se leva en disant :

— Venez que je vous montre un spécimen intéressant de l'art arabe, avant votre départ. Il est si bien dissimulé dans les bosquets de roses que nous sommes passés à côté, tout à l'heure, sans que vous puissiez soupçonner son existence.

Le nuage s'effaça du front de Maria. Avec son hôte, elle s'engagea de nouveau dans les jardins embaumés. Ils atteignirent ainsi le pavillon de marbre dont le prince avait fait son fumoir.

Michelino, qui étudiait sa leçon d'histoire dans le bosquet voisin, les vit passer et considéra attentivement la belle Vénitienne. Lormès lui avait dit qu'elle était une grande cantatrice. Le jeune garçon aurait bien voulu l'entendre. Peut-être allait-elle chanter ici, accompagnée par le violon du prince?

Mais Michelino ne perçut d'autre son que le rire un peu trop aigu de Maria, toute radieuse de se voir offrir par don Salvatore un curieux petit coffret arabe, d'un travail précieux.

Peu après, le prince et la jeune femme quittèrent le pavillon de marbre. La cantatrice attachait ses beaux yeux brillants et passionnés sur son compagnon, qui lui parlait d'un air nonchalant avec, au coin des lèvres, ce sourire amusé, un peu railleur, bien connu des femmes qui faisaient la cour au prince Falnerra.

Quand, un quart d'heure plus tard, Maria remonta dans sa voiture, elle la trouva remplie de fleurs. C'était là une de ces galanteries de grand seigneur coutumières à don Salvatore et particulièrement naturelle s'adressant à une interprète de ses œuvres. Mais Maria, que ces quelques heures passées près de son idole, dans l'atmosphère enchanteresse de ce palais féérique, avait littéralement grisée, voulut y voir une signification plus précise. Enfouissant dans les fleurs aux senteurs capiteuses son visage frémissant, elle murmura, en serrant contre son cœur le coffret niellé :

« Ah! don Salvatore, vous tenez ma vie entre vos mains! Je vous appartiens, mon maître... mon seigneur! »

Et lui, en regagnant son appartement, songeait, avec un mélange de satisfaction ironique et de méprisant dédain :

« En voilà encore une que je conduirais où je voudrais... s'il me plaisait d'être un don Juan. Mais elle perd son temps, cette belle Maria... Elles perdent toutes leur temps, ces amoureuses qui font si bon marché de leur dignité, en mendiant mon attention... Ah! non, les femmes, je les méprise trop pour les aimer! »

VII

Vers la fin de mai, le prince Falnerra et sa mère quittèrent la Sicile. Après un très court séjour à Rome, ils s'installèrent à Paris, dans le vieil hôtel que la princesse tenait de sa famille.

Michelino faisait naturellement partie du voyage. Sa situation se trouvait totalement changée, depuis ce bienheureux jour où Justin Lormès lui avait découvert la voix « angélique » recherchée par don Salvatore. Il ne faisait plus partie de la domesticité, prenait ses repas avec les secrétaires et se voyait traité avec une bienveillance de plus en plus grande par le prince, qui éprouvait une véritable affection pour cet enfant charmant, fin et distingué, doué d'un cœur délicat et d'une âme ardemment reconnaissante. Son éducation musicale se poursuivait, de concert avec l'instruction générale que lui donnait le père Gellini, fort attaché, lui aussi, à son élève. Ainsi, l'ancien souffre-douleur de Guiseppe devenait, de par la faveur du maître, une sorte de personnage que Guilio lui-même traitait avec déférence. Mais Michelino restait doux et sans orgueil. Jamais l'idée de se venger du grand valet, son ancien persécuteur, n'avait même effleuré son esprit... Et pourtant, dans le secret de son âme basse et envieuse, Giuseppe le détestait, guettant l'occasion de lui nuire, dès qu'il le pourrait sans danger pour sa propre personne.

L'existence du prince Falnerra, ici, différait quelque peu de celle qu'il menait en Sicile. Plus mondaine, elle laissait moins de place au travail. Encore déclinait-il bon nombre d'invitations, car ses journées n'eussent pu y suffire. Mais les manifestations artistiques, dès qu'elles présentaient quelque valeur, trouvaient en lui un auditeur ou spectateur assidu.

La princesse, qui conservait le goût du monde, avait chaque semaine un après-midi de réception fort suivi. Peu de temps après son retour, elle y vit apparaître la comtesse de Varouze, son fils, Lionel d'Artillac et une jeune fille blonde qu'Angelica lui présenta en ces termes :

— Ma fille Lea, qui sollicite la bienveillance de Votre Altesse.

Dona Teresa accueillit gracieusement Mlle de Varouze. Les flatteries de la comtesse, celles de Lionel, avaient toujours eu sur elle un favorable effet. D'ailleurs, elle n'était pas la seule à déclarer charmants la mère et le fils. Ceux-ci étaient fort bien vus dans la haute aristocratie où ils avaient réussi à pénétrer, de même que dans le monde de la littérature, des arts, de la haute finance.

Le prince Falnerra, lui, n'éprouvait à leur égard qu'une complète indifférence. Il demeurait en relation avec eux simplement en souvenir du service que lui avait rendu autrefois Gérault de Varouze.

Beaucoup plus observateur que sa mère, il avait cru saisir parfois quelques fausses notes chez cette femme et ce jeune homme aux yeux câlins, aux manières enveloppantes. Mais il les avait relativement peu vus en ces dernières années où il avait presque constamment voyagé. En outre, les subtils encensements de ces deux êtres habiles n'avaient pas été sans plaire à son orgueil d'homme habitué aux hommages. Aussi n'opposa-t-il aucune objection, quand sa mère lui dit, au cours du dîner.

— J'ai vu aujourd'hui les Varouze et je les ai invités pour notre soirée de la semaine prochaine. La comtesse m'a présenté sa fille, qui est une bien jolie personne... toute jeune encore, dit-huit ans, m'a-t-elle dit.

— J'ai vu d'Artillac avant-hier, à Bagatelle. Ont-ils décidément abandonné leur vieux la Roche-Soreix, si pittoresque?

— On le croirait... A vrai dire, Salvatore, ce logis est assez triste. J'avoue que, pour mon compte, je ne m'y plairais guère.

— Oui, en effet, tout le long de l'année. Mais quelques mois par an...

Tandis qu'il parlait ainsi, don Salvatore évoquait le vieux château féodal dressé sur son rocher volcanique... le vieux nid des Varouze, fait de lave sombre, entouré de forêts. Et voici que sa pensée, tout à coup, s'arrêtait sur un antique logis que sa parure de roses pourpres ne réussissait guère à égayer. Dans l'encadrement de la porte cintrée apparaissait une petite fille au visage menu encadré de boucles fauves, aux merveilleux yeux noirs pleins d'émoi et de crainte. Étrange petite créature, dont la voix ravissante l'avait frappé, dans cette chanson arabe entendue par hasard, au passage.

Ourida... Il n'avait pas oublié son nom... Ourida, « petite rose »... Les promesses de rare beauté qui se révélaient en cette enfant avaient-elles été réalisées chez la jeune fille? Et cette voix au timbre très pur, qu'était-elle devenue?

« Qui sait si je ne trouverais pas là ce que je cherche? » songeait Salvatore.

Mais comment le savoir? Il se souvenait de l'inquiétude, de l'effroi même manifesté par l'enfant, de sa crainte que Mme de Varouze sût que l'étranger l'avait entendue nommer Ourida et chanter en langue arabe. S'il interrogeait maintenant la châtelaine de la Roche-Soreix à son sujet, il risquait, ne sachant rien des rapports qui existaient entre la comtesse et cette jeune personne, de commettre une maladresse et de ne rien apprendre du tout.

Pourtant, maintenant que cette idée lui était venue, il fallait qu'il revît la petite étrangère d'autrefois et qu'il s'assurât par lui-même si sa voix avait tenu ce qu'elle promettait.

Il décida donc que, à la première occasion, il interrogerait Lionel d'Artillac avec toute la discrétion et l'habileté nécessaires.

Or, cette occasion se présenta le soir même, à l'Opéra où le prince et sa mère assistaient à une première. Mme de Varouze et ses enfants y occupaient une loge, et don Salvatore, en promenant négligemment sa lorgnette autour de la salle, l'arrêta un moment sur la jolie fille blonde qui, elle, ne le quittait pas des yeux depuis son arrivée.

Il fit observer en s'adressant à sa mère :

— Oui, elle n'est pas mal, cette petite de Varouze. Mais je n'aime guère ce genre de physionomie. Elle doit être vaniteuse et coquette... toute pénétrée d'admiration pour elle-même.

— Oh! Salvatore, comme tu juges promptement

les gens! Cette pauvre petite! Attends au moins de la mieux connaître!

Don Salvatore sourit, sans répondre. Il posa sa lorgnette sur le bord de la loge. Dans cette salle où se trouvaient réunies les beautés les plus réputées de Paris, il n'y avait pas une seulle femme capable de faire battre son cœur.

Pendant un entracte, Lionel vint présenter ses hommages à la princesse et à son fils. Tandis que dona Teresa s'entretenait avec un autre visiteur, le prince demanda :

— Eh bien! d'Artillac, que devient ce vieux la Roche-Soreix? Mme de Varouze ne le laisse pas tomber en ruine, au moins? Ce serait trop dommage!

— Oh! pas le moins du monde! Il est en aussi bon état que du vivant de mon beau-père...

Et, saisissant la balle au bond, Lionel ajouta, de son air le plus insinuant :

— Nous comptons y passer quelque temps, à l'automne... Votre Altesse ne nous fera-t-elle pas la grande faveur d'accepter notre hospitalité, quand elle voudra venir chasser dans la forêt de Soreix?

— Je ne dis pas non. Ce vieux logis féodal me plaît et j'y trouverai avec plaisir le souvenir de M. de Varouze... celui aussi de son ingrat neveu, auquel je dois malgré tout une grande reconnaissance. Vous n'avez toujours rien appris à son sujet?

— Rien du tout, Altesse.

— Quelle chose étrange! Peut-être est-il mort d'ailleurs, sans que son corps ait pu être identifié.

Lionel dit avec aplomb :

— C'est ce que nous avons pensé parfois... Cependant, mon beau-père et ma mère ont fait faire toutes les recherches possibles. Mais ils n'ont pu recueillir le moindre indice. Ce fut, hélas! un grand chagrin pour ce pauvre comte de Varouze!

— Je le conçois... Eh bien! si je m'installe à l'automne, comme j'en ai l'idée, dans mon château d'Aigueblande, il est très possible que vous me voyiez parfois à la Roche-Soreix. Je visiterai à nouveau cette intéressante demeure, ce parc un peu sauvage, ces jardins fort agréables... Il y avait là une maison très ancienne qui ne manquait pas de caractère. Existe-t-elle toujours?

— Mais certainement, Altesse! La Roche-Soreix est demeurée absolument telle qu'il y a neuf ans.

— La façade de ce logis était couverte de superbes roses rouges. Mais il n'en restait pas moins de sombre et triste apparence... Il était cependant habité, à l'époque... par une veuve et ses enfants qu'avait recueillis Mme de Varouze.

— Ah! oui, Mme Lambert!... Elle est morte peu après.

— Et Mme de Varouze a conservé les enfants?

— La petite fille seulement. Ma mère lui a fait donner une instruction pratique, afin qu'elle puisse de bonne heure gagner sa vie.

— C'était en effet très raisonnable. Un bon métier lui donnera vite l'indépendance... Elle est encore près de Mme Varouze maintenant?

— Non pas, elle n'a jamais quitté la Roche-Soreix où l'ancienne institutrice de ma sœur lui a enseigné ce qui était nécessaire à sa position.

D'un ton pénétré, Lionel ajouta :

— Ma mère s'est montré admirablement bonne pour cette petite Lambert... elle a fait pour son éducation de grands sacrifices... En sera-t-elle récompensée?... L'enfant est de caractère difficile, désagréable même, paraît-il!... Enfin, peu importe! La satisfaction du bien accompli lui suffira toujours.

Ce petit couplet sur les mérites charitables et le noble désintéressement de Mme de Varouze laissa le prince indifférent. Il venait d'apprendre ce qu'il lui importait de savoir : la présence d'Ourida à la Roche-Soreix... Un secret instinct l'avait averti de ne pas pousser plus loin l'interrogatoire. Il jugeait préférable de continuer son enquête ailleurs... c'est-à-dire aux alentours de la Roche-Soreix... et, s'il le fallait, dans le château lui-même.

Lionel, en regagnant la loge de sa mère, avait une physionomie fort satisfaite... A peine assis, il dit joyeusement :

— Eh bien! vous savez, le prince m'a presque promis de venir à la Roche-Soreix cet automne!

Angelica eut un sourire de contentement... Quant à Lea, ses yeux bleus étincelèrent de vive allégresse.

— A cette époque, il s'installera à Aigueblande, continua Lionel. La distance n'est pas longue, jusqu'à la Roche-Soreix. Il pourra ainsi, très facilement, voisiner avec nous.

— Et nous serons invités chez lui! dit Lea, visiblement radieuse.

A ce moment, la porte de la loge s'ouvrit, livrant passage à un homme d'une cinquantaine d'années, de petite taille, aux cheveux bruns grisonnants. C'était Orso Manbelli, très à l'aise dans son habit qu'il portait en homme accoutumé au monde.

— Comme tu arrives tard, Orso! dit la comtesse en lui tendant sa main, sur laquelle il posa ses lèvres.

— J'ai été retardé par Ricardo Clesini, qui avait des instructions à me donner... Bonsoir, Lionel... Ma petite Lea, vous êtes absolument exquise!

Lea eut un sourire satisfait, en tendant sa main à l'arrivant. Puis elle reprit sa contemplation de la loge où le prince Falnerra venait de se rasseoir près de sa mère qui s'entretenait avec le marquis de Larçay, un de ses cousins.

VIII

Au cours du seizième siècle, un ancêtre de la princesse Falnerra, Jacques d'Aigueblande, second duc de Montendry, avait eu la fantaisie de faire construire une superbe demeure sur les lieux qui étaient le berceau de sa famille. Les Aigueblande, en effet, avaient émigré un siècle auparavant de l'Auvergne dans le nord du Bourbonnais, où ils étaient devenus par la suite de fort grands seigneurs... Le petit castel d'Aigueblande, abandonné, avait peu à peu croulé de toutes parts. Ce fut sur l'emplacement de ces ruines que le duc de Montendry fit construire un logis dans le style de l'époque.

Mais le site était sévère, les communications peu faciles. Jacques de Montendry se lassa vite de sa nouvelle résidence... et, après lui, ses descendants la délaissèrent complètement. Les pluies, les neiges de ce froid climat d'Auvergne dégradèrent peu à peu le noble logis... Il n'était pas loin de tomber en ruine quand le prince Falnerra, le visitant au hasard d'une excursion, le trouva fort à son goût et décida d'en devenir propriétaire.

Il l'acheta au vieil oncle de sa mère qui en était

propriétaire et en fit commencer aussitôt la restauration... Il y avait de cela trois années. Maintenant, Aigueblande était redevenu la superbe résidence qu'avait réalisée autrefois le fastueux caprice de Jacques de Montendry. Elle se dressait au-dessus d'une vallée chaotique, au long d'un large plateau dont une forêt, qui escaladait la montagne, formait le fond sombre et majestueux. Son isolement était presque aussi complet qu'au seizième siècle. Quelques cabanes de pâtres, seules, existaient aux alentours. Le plus proche village se trouvait au fond de la vallée. On n'y parvenait que par des chemins difficiles, jusqu'au moment où le prince, en restaurant la demeure de son ancêtre, avait fait établir à ses frais une route plus praticable entre ce village et le château d'Aigueblande. Mais celui-ci n'en restait pas moins un logis fait à souhait pour les amateurs de solitude et de calme complet.

La princesse Teresa savait que son fils avait l'intention d'y passer un mois ou deux à l'automne, avec quelques amis, pour chasser dans la forêt, fort giboyeuse, dont il avait acquis aussi la propriété... Mais elle montra quelque étonnement en l'entendant, le lendemain de cette soirée à l'Opéra, manifester l'intention de faire dès maintenant un séjour à Aigueblande.

— Un long séjour? s'informa-t-elle.

— Très probablement non... J'ai besoin de remettre au point certaines parties de mon oratorio. Il me faut pour cela le silence et une existence d'ermite. Or, convenez, ma chère mère, que je ne puis trouver ici l'un et l'autre?

— Ce serait peut-être un peu difficile, en effet... Toutefois, Aigueblande est terriblement triste!

— Mais non, pas à cette époque de l'année surtout...

Vous savez que la solitude ne m'effraye aucunement. Je suis mondain par habitude, mais je me ferais très bien à un autre genre d'existence, car j'ai en moi-même assez de ressources intellectuelles pour braver l'ennui.

— Mais quand comptes-tu partir?... Nous donnons dans huit jours une soirée; me laisseras-tu en faire seule les honneurs?

— Certes non, ma mère! Rien ne me presse. Je partirai dans une dizaine de jours. Il faut d'ailleurs bien ce temps pour que Guilio organise le service là-bas, où les approvisionnements sont peu faciles.

Puis, en souriant, il ajouta, penchant un peu la tête vers sa mère :

— J'ai encore un autre motif à ce voyage... Vous souvenez-vous qu'à mon retour à la Roche-Soreix, il y a neuf ans, je vous ai parlé d'une petite fille qui se nommait Ourida et qui avait une voix délicieuse?

— Vaguement... Ah! oui, attends! Elle paraissait avoir grand-peur de Mme de Varouze. Et elle ne s'est pas trouvée au rendez-vous que tu lui avais donné pour l'entendre à nouveau, le lendemain.

— J'ai pensé depuis que la comtesse, ayant appris cela, lui avait interdit de se montrer... Pourquoi, par exemple, je me le demande... Enfin, peu importe. Mais figurez-vous, ma mère, que j'ai idée de savoir ce qu'est devenue la voix de cette enfant... et si je ne pourrais découvrir là ce que je cherche.

Dona Teresa sourit, en passant une main caressante sur les boucles brunes, épaisses et soyeuses.

— Ah! mon artiste!... chercheur d'idéal!... Mais que ne t'informes-tu près de Mme de Varouze ou de son fils?

— Et s'ils ont quelque motif de ne pas me dire la vérité? Je sais, par d'Artillac, que la petite fille d'autrefois se trouve toujours à la Roche-Soreix, en compagnie d'une ancienne institutrice de Mlle de Varouze. Cela me suffit. J'irai me renseigner moi-même, une fois que je serai à Aigueblande.

La princesse hocha la tête.

— Pourquoi veux-tu, si cette jeune personne a une jolie voix, que Mme de Varouze te le cache?... Ce serait grand honneur et grand profit pour une enfant sans fortune et sans avenir si, par hasard, tu la choisissais comme la principale interprète de ton œuvre. Sa situation serait dès lors faite, superbement, dans la carrière du chant.

— Que voulez-vous, je suis malgré moi influencé par la bizarre crainte que parut témoigner cette enfant, jadis... Et si vous aviez vu comme moi cette petite créature, si étrangement jolie, ayant en toute sa menue personne la marque d'une race très affinée, très aristocratique, vous vous demanderiez peut-être comme moi si quelque mystère ne se cache pas là... et si Mme de Varouze n'avait pas un intérêt quelconque à laisser dans l'ombre cette famille.

— Oh! quelle imagination tu as, mon cher enfant!

— Peut-être, en effet, n'y a-t-il rien du tout de cela... Mais, je ne sais pourquoi, Mme de Varouze m'inspire une certaine défiance. J'aime donc beaucoup mieux faire ma petite enquête moi-même.

Cette soirée chez la princesse Falnerra occupait, bien des jours à l'avance, Lea de Varouze. Il y avait là, pour elle comme pour sa mère, une vive satisfaction d'amour-propre, car la princesse, et plus encore don Salvatore, n'étaient pas prodigues d'invitations.

Mais chez la jeune fille, un autre sentiment dominait : la joie de revoir, et cette fois de près, ce prince Falnerra qui, déjà, faisait battre violemment son cœur.

Elle avait continué d'être ce qu'elle était autrefois, cette jolie Lea : une enfant gâtée, sans cœur, de conscience faible et amorale. Sa mère et Brigida, dont elle était l'idole, l'avaient flattée dans ses défauts, encouragée dans les vaniteuses ambitions qu'elle exprimait parfois ainsi :

— Moi, je veux être la plus riche de toutes et que tout le monde m'aime.

Le soir de la réunion à l'hôtel Falnerra, Angelica et la femme de charge étaient autour d'elle, ne voulant confier à personne d'autre le soin de la parer. Sa toilette était des plus élégantes et faisait valoir sa jeune beauté... Longuement, elle se considéra dans la glace et déclara d'un ton satisfait :

— Oui, je ne suis pas mal... Crois-tu, maman, que je plairai au prince Falnerra?

Angelica la menaça du doigt.

— Ah! coquette!... C'est à la conquête du prince charmant que tu vas ce soir?... Mais, ma pauvre petite, bien d'autres s'y sont essayées, sans aucun succès. Le prince est fort difficile et de caractère très fantasque, assure-t-on. Un jour, on paraît lui plaire... le lendemain, il ne vous regarde même pas.

Lea secoua la tête, d'un mouvement orgueilleux. Elle avait une très grande confiance en son charme, en sa beauté, qu'elle s'imaginait supérieure à la réalité. Là où d'autres avaient échoué, pourquoi ne réussirait-elle pas, elle?

C'était d'ailleurs l'avis de Brigida... et quelque peu aussi celui de la comtesse. En sa profonde vanité maternelle et son insatiable ambition, Angelica se disait que le prince Falnerra pouvait s'éprendre de Lea et en faire sa femme, c'est-à-dire l'une des plus grandes dames d'Europe... A cette pensée, l'aventurière devenue comtesse de Varouze — par quelles voies tortueuses! — tressaillait d'avide orgueil. Ah! quel couronnement ce serait là, pour sa carrière d'intrigues et de menées criminelles! Après un tel triomphe, elle n'aurait plus rien à désirer, vraiment!

Mais il fallait de la patience, de la ruse, de la souplesse, pour marcher vers ce but magnifique... Elle apprendrait à Lea comment elle devrait s'y prendre pour séduire, pour envelopper un homme dans l'impalpable filet d'où il lui est difficile de sortir. Tout cela n'avait été qu'un jeu pour Angelica Manbelli, autrefois. Mais sa fille pourrait devenir aussi forte qu'elle, à ce jeu de la coquetterie et de l'intrigue.

Cependant, au cours de la soirée à l'hôtel Falnerra, Mme de Varouze dut constater avec un vif dépit que don Salvatore n'accordait aucune attention à Lea. Il échangea quelques mots avec la comtesse, sans regarder la jeune fille, qu'il avait saluée avec indifférence... Lea, quoique fort entourée, en éprouva une telle déception qu'elle faillit avoir une crise de nerfs quand, au retour, elle se retrouva dans la voiture avec sa mère et son frère.

Lionel, que sa mère avait mis au courant de ses rêves et de ses espoirs, dit en considérant d'un air quelque peu narquois le visage couvert de larmes :

— Eh bien! ma belle, si tu te décourages aussi vite, il est inutile de prétendre à la conquête du prince Falnerra! Elle sera, je ne dis pas impossible, — ce mot-là doit être inconnu d'une femme jolie et adroite, — mais des plus difficiles. Don Salvatore est un homme fort orgueilleux, fort indépendant... et, je le crains, très clairvoyant. Il s'agira donc de l'aveugler peu à peu... C'est une tâche qui demandera infiniment de doigté. Cependant, je ne doute pas que tu en sois capable, avec l'aide et les conseils de notre mère.

Angelica eut un geste approbateur.

— Oui, nous y arriverons, tu verras, ma petite Lea... Cet automne, il sera notre voisin. Nous nous rencontrerons souvent avec lui. C'est alors que nous aurons le plus de chances de succès... Mais, d'ici là, nous commencerons les travaux d'approche. Pendant son séjour à Paris, tu le verras probablement assez souvent, chez l'une ou l'autre de nos connaissances, chez sa mère elle-même, qui est toujours très accueillante pour nous. Sachant que la princesse et lui comptent passer le mois d'août à Dinard, nous ferons de même... Puis ensuite, nous le retrouverons en Auvergne. Oui, vraiment, tout s'arrange fort bien.

Devant cette assurance de sa mère, Lea parut un peu rassérénée. Sa confiance en elle aidant, elle se reprit à l'espoir et, déjà, commença de songer aux manèges de coquetterie dont elle devrait user pour conquérir son rêve.

Angelica avait déjà si bien mis son empreinte sur cette jeune âme, que celle-ci envisageait sans le moindre scrupule la perspective de toutes les intrigues pour atteindre son but près de celui dont elle devenait follement amoureuse.

IX

Comme il l'avait annoncé à sa mère, don Salvatore partit pour l'Auvergne trois jours après la soirée. Justin Lormès et Michelino se trouvaient du voyage... Les progrès du jeune garçon, au point de vue musical, étaient remarquables. Sa voix, habilement dirigée par Lormès, tenait tout ce qu'en avait attendu le prince Falnerra. Celui-ci témoignait la plus grande bienveillance à son protégé, dont les charmantes qualités gagnaient chaque jour davantage son affection... Quant à Michelino, son dévouement passionné n'avait fait que croître pour ce maître auquel il devait tant et qui représentait pour lui toutes les perfections.

Aussitôt arrivé à Aigueblande, Salvatore s'occupa de mettre à exécution le plan préparé par lui... Ne pouvant faire lui-même l'enquête projetée, il en chargea son premier valet de chambre, homme intelligent et réfléchi, d'esprit très prompt, d'une discrétion et d'une fidélité à toute épreuve... Hardel resta deux jours absent et, au retour, vint trouver son maître sur la grande terrasse entourée de balustres de pierre grise qui précédait le château, du côté de la vallée.

— Eh bien! avez-vous réussi? demanda le prince.

— Voici, Votre Altesse, les seuls renseignements que j'ai pu obtenir : une jeune fille, Mlle Claire Lambert, recueillie tout enfant par Mme de Varouze, habite à la Roche-Soreix avec une ancienne institutrice, Mlle de Francueil. Elles vivent là, fort retirées, ne voyant jamais personne... Le dimanche, elles descendent au village pour entendre la messe. Mlle Lambert, qui est, paraît-il, d'une extraordinaire beauté, porte en ces occasions, depuis deux ou trois ans, un voile épais qui dissimule son visage. Elle est vêtue très simplement — presque pauvrement, de même que sa compagne... Sa mère, m'a-t-on raconté à Champuis, était une sorte d'aventurière, à qui Mme de Varouze, la voyant très malade et sans ressources, avait charitablement donné l'hospitalité. Après la mort de cette étrangère, la comtesse garda la petite fille... Il y avait aussi un petit garçon qui, paraît-il, disparut un beau jour. Cette Mme Lambert était une personne assez mystérieuse. Elle n'avait pas de papiers, ni rien qui pût établir son identité. Mme de Varouze, dit-on, s'est montrée fort bonne pour l'enfant. Elle l'a fait élever par cette ancienne institutrice de sa fille, personne fort capable qui a dû lui enseigner les moyens de gagner honorablement sa vie... Voilà tout ce que j'ai pu savoir, Altesse, l'existence retirée de ces deux femmes ne prêtant par ailleurs à aucun commentaire et n'excitant aucunement la curiosité aux alentours.

— Vous n'avez pas entendu dire que cette jeune fille chantait?... Qu'elle avait une belle voix?

— Non, Altesse, rien de cela.

— Mais elles ne sont pas seules à la Roche-Soreix, ces deux femmes? Il y a des domestiques?

— Rien que les concierges, mari et femme — deux

ours, paraît-il, dont on tire difficilement deux mots. Ils sont chargés du service de Mlle de Francueil et de Mlle Lambert... Il y a aussi le jardinier, qui est terriblement sourd. Voilà tout le personnel du château, quand les maîtres n'y sont pas.

— C'est bien, Hardel. Vous avez rempli votre mission du mieux possible, je le vois... Ah! quelque chose encore! Savez-vous si ces personnes habitent le château même, ou l'une de ses dépendances?

— On m'a dit qu'elles logeaient dans une vieille maison — hantée, prétend-on — qu'on appelle la maison de Mahault.

— Bien... très bien.

Et, sur ces mots, don Salvatore congédia son valet de chambre... Puis il se leva et se mit à arpenter la terrasse, tout en songeant...

Ce que venait de lui rapporter Hardel excitait vivement sa curiosité, quelque peu blasée pourtant... Cette jeune fille si belle, qui cachait son visage sous un voile, il lui prenait la fantaisie de la voir... Elle était déjà une délicieuse créature, tout enfant... Il ne lui était donc pas difficile d'imaginer ce qu'elle avait pu devenir. Il suffisait d'ailleurs de ses merveilleux yeux noirs, si étrangement expressifs, pour faire d'elle un être de séduction... Oui, il fallait qu'il la revît... Il fallait qu'il sût, par elle-même, si le timbre rare de sa voix avait tenu ce qu'il promettait...

Comment atteindre ce résultat?... En se présentant tout simplement à la Roche-Soreix et en exprimant son désir à cette demoiselle de Francueil, chargée de l'éducation d'Ourida — ou de Claire Lambert, puisque tel était son nom officiel?... Mais si ladite demoiselle était un cerbère qu'effrayerait, pour la jeune personne confiée à ses soins, ce visiteur d'âge et d'allure quelque peu inquiétants?... Si elle avait reçu des recommandations de Mme de Varouze, comme semblaient le prouver ce voile qui dérobait le visage de Mlle Lambert aux regards admirateurs et cette existence d'isolement derrière les murs de la Roche-Soreix?

Les sourcils rapprochés, le regard songeur, Salvatore allait et venait le long de la terrasse que frappaient les rayons du soleil déclinant dans la lumière; la façade du château se dressait, noble et superbe, avec son ornementation d'une sobre richesse, d'un raffinement délicat. Les vitres flamboyaient, dans le cadre des fenêtres entourées de dentelures de pierre... Sur les dalles de la terrasse, les sloughis, paresseusement étendus, suivaient des yeux leur maître. De la vallée montait l'appel d'un pâtre. Au-delà, dans l'ombre qui les gagnait tout entières à mesure que le soleil descendait au couchant, les roches noires, striées de brun rougeâtre, dressaient leurs crêtes aiguës qui se chevauchaient en une sorte de chaos... A peine laissaient-elles place, parfois, à quelque étroite bande de terre où avaient pu germer, grandir, des arbustes épineux, des fougères, un sapin mélancolique... Mais une telle végétation n'enlevait rien à l'aspect rude et sauvage de cette vue qui avait rebuté jadis les descendants de Jacques de Montendry.

Salvatore, cessant tout à coup sa promenade, vint s'accouder à la balustrade que couvraient à demi des feuillages retombants... Sa nature volontaire, peu disposée à céder devant l'obstacle, était résolue à satisfaire ce désir de revoir la charmante petite Ourida d'autrefois... d'autant plus résolue qu'on semblait vouloir cacher cette jeune fille. Il ne doutait pas d'ailleurs d'y arriver, en homme pour qui le mot impossible n'existe pas... De plan précis, il n'en avait guère encore. Mais demain, qui était un dimanche, il se rendrait à Champuis et y entendrait la messe. Il pourrait ainsi apercevoir Mlle Lambert et son mentor... Ensuite... eh bien! il irait, comme un malfaiteur, rôder autour du parc. Il se souvenait qu'autrefois certaines parties de la clôture n'étaient pas en bon état. Mme de Varouze n'y attachait pas grande importance, le pays étant sûr. Peut-être n'y avait-elle pas fait faire de réparations... Et alors, s'il pouvait entrer ainsi dans le parc, il irait jusqu'à la maison de Mahault, se présenterait inopinément devant les deux femmes, exposerait à Mlle de Francueil sa requête...

Et puis, d'ailleurs, à quoi bon préparer tout cela?... Il agirait selon les circonstances... selon son inspiration, qui était vive et résolue. Il en serait de même ensuite, pour expliquer à Mme de Varouze cette façon d'agir, passablement en dehors des usages. Ne savait-on pas que tout était permis au prince Falnerra?...

« Et puis, concluait-il avec désinvolture, peu m'importe son mécontentement. Je n'ai déjà pas une si grande sympathie pour ces gens-là... et la belle Ourida ne serait peut-être pas fâchée du tout que je la délivre de leur tutelle. »

Il sourit à cette pensée qui lui traversait l'esprit, mais à laquelle il ne s'attarda pas, car il n'avait aucunement l'idée de jouer les chevaliers sauveurs de belles prisonnières. Mlle Lambert n'était pas du reste internée à la Roche-Soreix, puisqu'elle se rendait chaque semaine au village... et lui, reçu jadis dans cette demeure, aurait jugé déloyal, si même il en avait eu le désir, de détourner de son devoir cette jeune fille qui était sous la tutelle de ses hôtes d'autrefois, et près de laquelle il ne pourrait parvenir qu'en usant de ruse.

Non, il voulait seulement la revoir et surtout s'informer de sa voix...

Les mains appuyées à la balustrade, il songeait, en regardant la rose lueur du couchant disparaître derrière les crêtes des roches sombres... Michelino, sortant du château, venait vers lui, en le regardant avec une tendresse fervente... Mais Salvatore n'entendit point le pas léger de son jeune chanteur. Il évoquait de nouveau deux yeux noirs, profonds et purs, deux yeux saisissants dans un menu visage d'enfant qu'encadraient de soyeuses boucles fauves... et il pensait avec un léger frémissement de curiosité :

« Oui, très probablement, elle est devenue bien jolie. cette petite rose. »

X

De bonne heure, le lendemain, le prince Falnerra arrivait à Champuis. Ignorant à laquelle des deux messes dominicales assistaient les recluses de la Roche-Soreix, il fallait qu'il se trouvât à la première, au cas où elles y viendraient.

Dans l'espoir, non de passer inaperçu, mais d'être moins remarqué, il laissa son automobile à quelque distance du village, près de la forêt, et vint à pied jusqu'à Champuis.

Il prit une chaise dans le bas de l'église, à un endroit d'où il pouvait voir le banc des Varouze, car il supposait que là se mettaient Mlle de Francueil et son élève... Les premiers fidèles commencèrent d'arriver peu après. On regardait beaucoup cet étranger de si haute mine, que plusieurs reconnaissaient pour le prince italien, hôte des châtelains de la Roche-Soreix, neuf ans auparavant... Et l'on se disait :

— Il vient revoir le pays, qu'il trouvait à son goût, paraît-il.

Indifférent à l'attention dont il était l'objet, Salvatore guettait l'entrée de celles qu'il attendait... Il eut tout à coup un petit tressaillement... Deux femmes apparaissaient, venant du côté où il se trouvait. La première, grande, mince, d'allure fatiguée, paraissait au moins une cinquantaine d'années, car son visage aux beaux traits réguliers était jauni, creusé, parsemé de rides. Un cerne bleuâtre creusait les yeux sombres, où semblait se concentrer une tragique souffrance... Mais en dépit de cette apparence vieillie, ravagée par quelque douleur morale ou physique, en dépit de son vieux costume noir, de son chapeau fané, la femme qui s'avançait là gardait un air de grande dame très frappant.

Sa compagne, d'allure très jeune, un peu moins grande, quoique d'une taille légèrement au-dessus de la moyenne, avait le visage entièrement enveloppé d'un voile gris, qui couvrait même son chapeau et lui entourait le cou. Il n'y avait donc pas à douter que ce fût là cette mystérieuse Mlle Lambert qui dérobait sa beauté aux regards admirateurs... Quant à l'autre, en dépit du grand changement apporté en elle par ces neuf années, Salvatore avait reconnu l'ancienne institutrice de la petite Lea de Varouze, aperçue quelquefois par lui, au cours de son séjour à la Roche-Soreix.

Les deux femmes, au lieu d'aller se placer dans le banc du château, comme s'y attendait le prince, demeurèrent dans le bas de l'église, un peu à gauche et au-devant de Salvatore. Elles avaient pris chacune une chaise au tas placé de ce côté. Le jeune homme put donc les observer tout à loisir. Mais son attention se concentra presque exclusivement sur celle qui devait être Ourida. Tout aussitôt, il avait remarqué la rare élégance de la taille qui se devinait sous la jaquette de façon un peu large, de bonne coupe, mais d'étoffe fort ordinaire et quelque peu fanée. Un examen plus attentif lui permit d'apercevoir une boucle de cheveux bruns teintés de fauve qui apparaissait entre deux plis du voile... Plus de doute, c'était bien la petite fille d'autrefois... l'énigmatique Mlle Lambert.

Salvatore espérait que la jeune personne écarterait son voile, à un moment ou l'autre... Mais il n'en fut rien. Ourida écouta la messe avec un recueillement tout au moins apparent, joignant parfois, en un mouvement un peu nerveux, ses mains petites et fines, gantées de fil gris passé et reprisé. Ses attitudes étaient simples, dépourvues de toute affectation et très naturellement élégantes. Son apparence générale dénotait la plus rare distinction. La jupe un peu courte découvrait de fines chevilles, les chaussures très fatiguées laissaient deviner des pieds petits et bien cambrés.

La messe n'était pas complètement terminée quand Mlle de Francueil sortit, suivie de sa compagne. Salvatore attendit un moment avant de les imiter, pour ne pas avoir l'air de les suivre... Quand il arriva sur la place de l'église, elles avaient disparu... Mais il connaissait le raccourci qui menait au château et, jugeant que les deux femmes avaient dû prendre par là, il se dirigea vers ce côté.

Au bout d'un moment, il les aperçut en effet qui montaient lentement le chemin quelque peu rocailleux... En peu de temps, il fut à quelques pas derrière elles. Toutes deux tournèrent la tête et la plus jeune se plaça derrière l'autre, afin qu'il pût les dépasser dans cette voie étroite. Il leva son chapeau et continua sa route, de l'air indifférent d'un promeneur quelconque. Mlle de Francueil l'avait sans doute reconnu; mais peu importait, car elle ignorait le motif qui l'avait amené ici. Quant à Ourida, en admettant qu'elle se souvînt encore du jeune homme d'autrefois, elle n'avait également aucune raison pour soupçonner son dessein.

Tout en s'engageant dans la forêt, Salvatore cherchait un moyen pour se présenter inopinément devant ces deux femmes, et même, s'il était possible, devant Mlle Lambert seule... Certes, en se servant de la clef d'or, il aurait pu se faire introduire par les concierges, dont il se rappelait l'empressement servile, lors de son séjour à la Roche-Soreix. Mais il lui répugnait d'user de ces moyens... Cependant, il n'en voyait point d'autres... à moins d'escalader les murs.

En songeant ainsi, le prince atteignit l'endroit où le sentier bifurquait, d'un côté se dirigeant vers l'entrée du château, de l'autre longeant la clôture des jardins et du parc, fermée d'abord d'un mur, puis, pour la partie du parc demeurée à l'état nature, d'une palissade envahie par les liserons et les plantes parasites.

Ce fut de ce côté que don Salvatore dirigea ses pas... Et, après avoir marché quelque temps, en continuant de songer, il s'arrêta tout à coup, avec une légère exclamation de contentement.

La palissade, formée de rondins de bois enfoncés en terre et réunis par des traverses, était ici en fort mauvais état. Un morceau de traverse, pourri par l'humidité, s'était détaché, de telle sorte que les deux rondins qu'il soutenait s'effondraient, retenus seulement par les plantes grimpantes qui s'enroulaient autour d'eux... D'un coup d'œil, Salvatore se rendit compte qu'il serait facile de passer là... ce qu'il fit d'ailleurs presque aussitôt, après un court instant de réflexion.

Avec son mouchoir, il fit disparaitre quelques marques verdâtres que le contact du bois pourri avait laissées sur ses vêtements... il fit tomber quelques feuilles qui s'étaient logées dans les boucles épaisses de sa chevelure... Puis, ayant remis son chapeau, il se mit délibérément en marche dans la direction où devait se trouver le château... et, par conséquent, la maison de Mahault.

Au cas où il rencontrerait quelqu'un, jardinier ou concierge, son explication était prête. L'un et l'autre le connaissant, — car il se souvenait très bien de ce jardinier sourd que la comtesse, disait-elle, ne gardait que par charité, — il leur raconterait que, se promenant dans la forêt, il avait vu une brèche dans la clôture et avait eu l'idée de venir faire un tour dans ce parc dont il avait gardé un très bon souvenir... Ces gens ne verraient là rien d'extraordinaire de la part d'un personnage en relations avec leurs maîtres, et dont ils devaient d'ailleurs savoir qu'il était coutumier de réaliser la plupart de ses fantaisies.

Au reste, le prince n'avait pas de plan défini pour arriver à voir Mlle Lambert. Il faisait plutôt ce matin une reconnaissance afin de se rendre compte s'il serait possible de guetter la jeune fille, en un lieu où il pourrait lui parler sans craindre l'intervention de l'ex-institutrice qui, pensait-il, ne lui semblait pas être d'humeur conciliatrice.

Il s'avançait d'un pas sans hâte, dans l'ombre des vieux arbres, qui atténuait la chaleur de cette matinée... Un sentier, qui s'enfonçait en zigzaguant dans la pénombre de bosquets aux feuillages exubérants, lui rappela l'existence d'un débris de portique, vestige de la domination romaine. Lionel d'Artillac le lui avait montré autrefois... Il eut envie de le revoir et s'engagea dans le sentier ombreux et vert, au sol couvert de mousse qui étouffait le bruit des pas.

A un tournant, don Salvatore s'arrêta brusquement... L'oreille tendue, il écouta... Non, il ne se trompait pas!... C'était bien une voix qui s'élevait, à une courte distance... une voix de femme au timbre admirable, d'une pureté si parfaite, d'un velouté si rare qu'un ardent frémissement agita celui qui l'écoutait et qui songeait aussitôt avec une joie triomphante :

« Ah! la voilà, cette voix que je cherchais!... La voilà! »

Il ne pouvait non plus douter de l'identité de celle qui chantait ainsi... car il reconnaissait la berceuse arabe entendue autrefois près de la maison de Mahault... Oui, Ourida était là... seule?... Voilà ce dont il fallait s'assurer.

A pas feutrés, Salvatore s'avança encore... Il vit alors la chanteuse, assise au pied du portique à demi ruiné, sur un banc formé des pierres qui s'en étaient détachées... Une toute jeune fille — dix-sept ou dix-huit ans peut-être... Un ravissant profil, un teint qui semblait avoir la blancheur délicate des pétales de camélia, des cils dorés qui palpitaient au bord des paupières demi baissées... puis encore, parure incomparable, une chevelure brune aux merveilleux reflets fauves qui, réunie en catogan, s'émancipait en boucles soyeuses sur la nuque si blanche, sur le front penché, sur les oreilles petites et délicieusement rosées.

Salvatore songea, avec un frémissement d'admiration :

« Eh bien! oui, je comprends qu'elle cache une beauté pareille, Mlle de Francueil... parce qu'il ne manquerait pas de gens pour essayer de la lui enlever! »

Mais, presque autant que cette beauté, l'attitude de la jeune fille frappa aussitôt le prince Falnerra... Sa taille souple, aux formes harmonieuses, se ployait comme accablée sous un fardeau... Un pli douloureux se dessinait au coin de la petite bouche charmante... Les mains, dont Salvatore remarquait aussitôt la finesse, les attaches aristocratiques, se croisaient et se décroisaient d'un mouvement nerveux, tandis que la jeune fille chantait cette berceuse avec une profonde expression de tristesse, presque de souffrance.

Maintenant que don Salvatore avait vu celle qu'il cherchait et entendu sa voix, il n'était que plus résolu à entrer en rapports avec elle... Mais, désireux de ne pas lui causer un trop grand saisissement, il revint un peu en arrière, puis, sans chercher cette fois à atténuer le bruit de ses pas, il se dirigea vers l'endroit où se tenait la jeune fille.

Elle leva les yeux, tressaillit et se mit debout, d'un mouvement très prompt. Son teint s'empourpra, ses yeux s'attachèrent sur l'étranger avec un mélange d'effroi et de fierté un peu sauvage... C'étaient bien là les yeux magnifiques de la petite Ourida d'autrefois, les yeux ardents et profonds, dont la saisissante expression s'augmentait de tout le charme acquis par la jeune fille, de toute la pure lumière d'une âme sans ombre.

Don Salvatore, se découvrant, dit avec un sourire discret :

— Je n'ose espérer, mademoiselle, que vous vous souveniez de l'étranger avec lequel vous avez échangé quelques mots, il y a neuf ans, devant la maison de Mahault?

Mais Ourida, redressant vivement la tête, riposta d'un ton que l'indignation faisait trembler :

— Si, monsieur, je m'en souviens!... J'ai des raisons pour cela!

— Que voulez-vous dire?

Très surpris, il regardait d'un air interrogateur la

ravissante physionomie animée par une émotion contenue, les yeux veloutés qui le considéraient avec une sorte de méprisante colère.

Ourida répondit sèchement :

— Cela ne vous importe guère. Je ne me soucie pas, d'ailleurs, que vous alliez rapporter ce que je pourrais vous dire.

Et, tournant le dos, elle fit quelques pas pour s'éloigner.

C'était bien la première fois, certes, qu'une femme faisait au prince Falnerra pareil accueil!... Le sang monta aux joues du jeune homme, une lueur d'irritation s'alluma dans ses prunelles... D'un bond, il fut près d'Ourida et posa sur son bras une main autoritaire.

— J'ai le droit d'avoir l'explication de ces paroles, mademoiselle, car elles sont une injure pour moi!

Elle leva les yeux, et il y revit cette expression de colère et de mépris qui l'avait frappé tout à l'heure.

— Je pense pourtant que vous vous souvenez de la promesse faite à la petite fille dont vous aviez surpris le chant, destiné à endormir sa mère malade?

— La promesse de ne dire à personne que je vous avais entendue chanter en arabe et qu'on vous avait nommée Ourida? Eh bien! je l'ai tenue; que signifie?...

— Vous l'avez tenue?... Vous oseriez l'affirmer?

Elle le regardait en face, avec une expression incrédule, hostile, un peu farouche.

— Je l'affirme sur mon honneur!... Mais pourquoi semblez-vous en douter?

— Pourquoi?... Dès le soir même, Mme de Varouze est venue faire une scène à ma pauvre mère et à moi, parce que vous m'aviez vue et entendue chanter... Elle m'a dit que je chantais en langue arabe, malgré sa défense, et que je vous avais certainement appris mon vrai nom... Enfin, j'ai bien compris qu'elle savait tout... Et elle m'a punie... punie...

Un frisson agita les épaules de la jeune fille au souvenir de cette nuit qui aurait été bien plus affreuse encore si elle n'avait réussi à quitter les souterrains du vieux logis.

— Mademoiselle, je vous fais le serment que Mme de Varouze n'a pas connu cela de moi!... Je ne m'engage pas à la légère dans les promesses, mais je les tiens toujours, fût-ce à une enfant comme vous l'étiez alors... Mais, après ce que vous venez de m'apprendre, voilà que je crains maintenant d'avoir été quand même cause des ennuis que vous avez éprouvés. En effet, désireux de m'informer discrètement au sujet de cette mystérieuse petite fille qui m'intéressait beaucoup, j'ai fait quelques remarques à Mme de Varouze... Ainsi, je lui ai dit que je vous avais entendue chanter, que je trouvais votre voix délicieuse. Mais je me suis gardé d'ajouter que vous employiez cette langue défendue... et, naturellement, que j'avais surpris ce nom d'Ourida, prohibé pour un motif inconnu de moi... Oui, peut-être suis-je quelque peu coupable sous ce rapport, mademoiselle... Mais sans mauvaise intention aucune, bien au contraire! Vous m'intéressiez vivement, ainsi que je viens de vous le dire... Si, de ce fait, j'ai été l'occasion de désagréments, de souffrances pour Mme votre mère et pour vous, je vous prie de recevoir tous mes regrets et de me pardonner.

Attentivement, Ourida considérait le jeune homme qui lui parlait ainsi, d'un ton sincère et chaleureux. Elle se demandait sans doute si elle devait croire à la loyauté qui étincelait dans ces yeux bruns dont l'ardente beauté, le charme impérieux l'avaient frappée autrefois, quand elle n'était qu'une enfant... Il lut cette perplexité dans le regard si expressif et dit avec la même chaleur :

— Je serais vraiment trop malheureux si je sentais que vous gardiez à ce sujet le moindre doute!... Mais de quelle façon pourrais-je vous convaincre?

Elle l'interrompit, d'un ton vif et décidé :

— Ne cherchez pas. Je crois que vous dites vrai... Mme de Varouze a deviné ce qui s'était réellement passé, voilà tout. Elle est assez habile pour cela.

Une amertume fortement mêlée de mépris se discernait dans l'accent de la jeune fille.

Elle ajouta, avec un demi-sourire nuancé de mélancolie :

— Vous voyez que je crois en votre parole, puisque je ne crains pas de vous parler ainsi... Or, si vous répétiez ces mots à Mme de Varouze, elle trouverait encore le moyen de m'en faire porter durement la peine.

— Vous avez raison d'avoir confiance en moi — toute confiance, je vous l'affirme... Mais il faut maintenant que je vous fasse ma confession. Ce n'est pas pour le simple motif de me promener, de revoir ce parc, que je suis ici. Je voulais vous voir, mademoiselle, et vous parler...

— Moi?

Elle avait eu un vif mouvement de surprise... Son ravissant visage, de nouveau, se couvrait de rougeur. Elle parut tout à coup embarrassée, craintive, baissant légèrement ses paupières aux cils soyeux comme pour échapper au regard ardent et superbe où l'admiration se contenait avec peine.

— Oui... Figurez-vous que je n'ai jamais oublié cette jolie voix d'enfant. Je suis musicien, je compose des œuvres qui ont quelque succès. La dernière est un oratorio, celle à laquelle je donne tous mes soins, toutes mes préférences... Elle se nomme l'*Annonciation*. Jusqu'à ce jour, j'avais cherché vainement la voix de femme digne de chanter la partie de la Vierge. Voici peu de temps, il m'était venu à la pensée que peut-être la vôtre réaliserait mon rêve... Me souvenant de la crainte que vous paraissiez éprouver autrefois à l'égard de Mme de Varouze et ignorant quels étaient vos rapports actuels avec elle, j'ai décidé de m'adresser directement à vous pour être renseigné sur le sujet qui m'occupait. Mais comment y arriver?... J'avais appris que vous viviez ici fort retirée, avec l'ancienne institutrice de Mlle de Varouze. Ce qu'était cette personne, je l'ignorais. Peut-être m'aurait-elle empêché de vous adresser ma requête...

Ourida murmura :

— Oh! oui, elle l'aurait empêché!

— Il fallait donc que je cherche un moyen de vous voir seule... Je n'ai trouvé que celui-ci : entrer dans le parc en passant par un endroit de la clôture en mauvais état, essayer de vous apercevoir, de vous parler. C'était fort incorrect... mais en me souvenant de la petite fille quelque peu mystérieuse à laquelle j'avais parlé, un matin, devant la maison de Mahault, j'avais comme une intuition qu'il ne me fallait pas agir d'après les voies ordinaires... que vous n'étiez pas libre... et peut-être pas heureuse...

Elle dit à mi-voix, avec un frémissement de tout son être, un éclair de souffrance dans ses yeux magnifiques :

— Oh! non, pas heureuse!

XI

Salvatore, à chaque minute, était plus prodigieusement intéressé, plus profondément ému par cette jeune créature si merveilleusement belle et qui lui semblait plus mystérieuse que jamais... L'aveu qui venait de sortir des lèvres d'Ourida lui donnait un prétexte pour essayer de savoir. Il demanda, en attachant sur la jeune fille son regard éclairé de la plus chaude sympathie :

— Vous avez perdu Mme votre mère, m'a-t-on dit?

— Oui, monsieur, il y a neuf ans.

Et elle eut un léger frisson à l'évocation de ces heures douloureuses.

— Mais vous aviez un frère, il me semble?

Des larmes vinrent aux yeux d'Ourida.

— Mon pauvre petit Etienne!... Ce fut précisément sa disparition qui causa la mort de ma malheureuse mère, déjà bien faible et bien malade.

— Comment, sa disparition?

— Il jouait près de la maison... Quand la femme de charge alla le chercher pour le faire rentrer, elle ne le trouva plus... Et il ne fut jamais retrouvé... du moins, on me l'a dit.

— Pensez-vous donc que ce ne soit pas la vérité?

Elle secoua la tête sans répondre... De nouveau, comme tout à l'heure, elle regardait l'étranger avec hésitation... avec quelque méfiance.

Don Salvatore perçut fort bien cette impression sur la jeune physionomie qui laissait transparaître ingénument la pensée d'Ourida.

— Je ne voudrais pas, mademoiselle, vous paraître indiscret. Mais je soupçonne dans votre existence une grande souffrance... Et si je pouvais vous être utile, ce serait une profonde joie pour moi, croyez-le bien, car vous m'inspirez le plus grand intérêt.

Elle continua de garder le silence, pendant un moment. Ses paupières s'étaient abaissées, les cils frémissaient doucement... Salvatore, frissonnant d'un vif émoi, contemplait le jeune visage palpitant autour duquel un souffle d'air soulevait les boucles fauves.

Ourida, relevant la tête, dit enfin résolument :

— Je ne vous connais pas, monsieur... A peine me rappelé-je votre nom : le prince Falnerra, je crois?

— Oui, mademoiselle.

Elle dit avec un sourire de confusion timide :

— Vous m'excuserez si je n'emploie pas en vous parlant les appellations auxquelles vous êtes sans doute habitué?... Mais je suis une sauvage, j'ignore les usages du monde...

— Je vous en prie, ne vous inquiétez pas de cela! De tels détails n'ont aucune importance... Appelez-moi, si vous le voulez bien, don Salvatore... et ayez confiance en moi, je vous en supplie!

— Je vais être très franche, don Salvatore. Cette confiance, vous me l'inspirez, instinctivement... Mais dans ma triste existence, j'ai pris l'habitude de beaucoup réfléchir, de concentrer mes pensées... mes souffrances... et mes rêves de libération. Il me serait donc difficile de raconter ainsi à un étranger le mystère de ma vie — car vous l'avez bien compris, ce mystère existe... Et puis, comment prendriez-vous parti pour moi? N'êtes-vous pas l'ami de Mme de Varouze et de son fils?

— L'ami?... Oh! mademoiselle, rassurez-vous! Je ne donne pas ainsi mon amitié... Mme de Varouze et M. d'Artillac ne sont pour moi que de banales connaissances pour lesquelles je n'éprouve même pas de sympathie. Si j'ai conservé quelques relations avec eux, c'est en souvenir de l'hospitalité que ma mère et moi reçûmes jadis à la Roche-Soreix, à la suite d'un accident — d'un attentat, plutôt, ainsi qu'il fut prouvé par la suite — dont nous faillîmes être les victimes. Le neveu du châtelain, Gérault de Varouze, nous rendit alors un grand service en nous secourant aussitôt. Cela, je ne l'ai jamais oublié non plus, et j'ai bien regretté de ne pouvoir par la suite lui redire ma reconnaissance.

A ce nom de Gérault, la jeune fille avait tressailli et ses yeux, tout à coup brillants, avaient pris une expression d'ardent intérêt.

La voix frémissante, elle demanda :

— Ainsi, vous avez connu Gérault de Varouze?

— Oui, mademoiselle... l'enfant que j'étais alors éprouvait même pour lui la plus vive sympathie.

La physionomie d'Ourida, soudainement, parut transformée. Toute trace de défiance, d'hésitation, disparaissait... D'un geste spontané, elle saisit le main du prince, en levant sur lui un regard éclairé par l'espoir.

— Alors, si la... si les enfants de Gérault de Varouze vous demandaient un jour de les aider... de les protéger... vous le feriez peut-être, en souvenir de lui?

— Non pas peut-être, mais certainement... et avec quel plaisir!... Mais il a donc laissé des enfants?

Très bas, presque en un murmure, Ourida répondit :

— Je suis sa fille.

Salvatore eut un vif mouvement de surprise.

— Sa fille!

— Oui... Ourida de Varouze.

Avec un sourire nuancé de douloureuse amertume, la jeune fille ajouta :

— Si Mme de Varouze savait que j'ai prononcé ce nom, je ne sais trop quel serait mon sort... Vous le voyez, c'est un secret terrible pour moi que je vous confie, don Salvatore.

— Un secret que je garderai au péril de ma vie, s'il le fallait... Mais pourquoi cette défense de Mme de Varouze?... Pourquoi vous fait-elle passer pour une enfant étrangère, recueillie par charité?

— Pourquoi?... Voilà justement ce que je veux vous apprendre, pour vous prier de me conseiller... Je suis seule, je ne connais personne qui puisse me faire rendre justice...

— Mademoiselle, je suis à votre entière disposition!... Dites-moi, je vous en prie, ce que je puis faire pour la fille de celui qui rendit à ma mère et à moi un si grand service.

C'était lui, maintenant, qui serrait la délicate petite main, tiède et frémissante. Doucement, il fit asseoir Ourida sur le banc de pierre, au pied du portique ruiné. Puis il prit place près d'elle... Et il dit alors de sa voix chaude, que l'émotion rendait plus prenante encore :

— Je vous prie de voir en moi, mademoiselle de Varouze, un ami sincère, un ami dévoué, non seulement en souvenir de votre excellent père, mais encore par grand intérêt pour vous. Dites-moi donc sans crainte, en toute confiance, ce que vous attendez de cette amitié, qui sera très heureuse d'être mise à l'épreuve.

Simplement, avec une complète sincérité, elle lui raconta la douloureuse histoire : son père mourant à Constantinople, après avoir vainement attendu la réponse aux lettres écrites à son oncle... la pauvre Medjine partant pour la France avec ses deux enfants, tombant de faiblesse en gare de Champuis, secourue par celle dont Gérault lui avait recommandé de s'écarter comme de la pire ennemie... Comment la comtesse avait-elle deviné aussitôt qu'elle se trouvait en présence de la veuve et des enfants de celui qu'elle avait réussi à écarter de sa route? Cela, Ourida n'avait jamais bien pu le comprendre... Peut-être avait-elle remarqué que les enfants ressemblaient à leur père...

— Pas vous, non... Il n'y a que la teinte des cheveux, dit Salvatore en considérant attentivement la jeune fille.

Elle rougit sous le regard de chaleureux intérêt, baissa un peu les paupières et continua son douloureux récit, que le prince écoutait avec une émotion croissante, à laquelle se mêlait la plus violente indignation contre Mme de Varouze et sa complice.

Quand Ourida parla de la punition qui lui avait été infligée à la suite de son court entretien avec le jeune hôte du château, Salvatore bondit.

— Quoi! ces misérables ont osé vous infliger cet abominable châtiment?... Et c'est moi qui ai été cause... Ah! mademoiselle, vous aviez raison de m'en vouloir!...

— Oh! non, non, il ne faut pas dire cela! Et vous allez voir d'ailleurs que, de ce mal, il sortit un grand bien... Car si Brigida ne m'avait pas enfermée là, je n'aurais peut-être jamais fait la connaissance de mon grand-oncle, du pauvre M. de Varouze qu'on trompait à notre sujet.

— Comment cela?... Vous avez vu M. de Varouze?

— Oui... Et je vais vous dire à cet égard des choses que personne jusqu'ici n'a connues... des choses que j'ai tenues secrètes jusqu'à ce jour...

D'une voix qui frémissait, en attachant sur le jeune homme ses yeux éclairés d'une confiance ingénue, elle ajouta :

— Don Salvatore, la fille de Gérault de Varouze va remettre à la garde de votre honneur ce secret que, seul, je le répète, vous posséderez avec moi.

— Parlez sans crainte, mademoiselle; l'honneur du prince Falnerra sera un dépositaire fidèle, je vous l'affirme.

Et, plus fortement, les doigts de Salvatore serrèrent la petite main tremblante.

Alors, elle lui dit tout : comment, fuyant la compagnie des rats, dans le caveau, elle était arrivée jusqu'à l'appartement du comte de Varouze... comment celui-ci l'avait accueillie et quelles révélations elle avait apportées au pauvre homme trompé par son entourage... comment encore, à sa seconde visite, M. de Varouze, qui semblait très faible, très malade, avait écrit son testament sous une des statues ornant sa cheminée...

— Sous une des statues? répéta don Salvatore, stupéfait. Mais on a dû le découvrir, depuis lors?

— Peut-être pas. D'abord, cet appartement n'a pas été habité depuis la mort du comte... Et quand même, il eût été fort possible que les domestiques, en essuyant, en époussetant cette statue, n'aient pas eu occasion d'en voir le dessous.

— Oui, c'est admissible... Vous n'avez pas eu la curiosité de vous en assurer?

— Si, je l'ai voulu, il y a un an... La concierge m'avait prise avec elle pour nettoyer quelques pièces du château. Profitant d'un moment où elle était appelée au-dehors par son mari, j'ai couru jusqu'à l'appartement de M. de Varouze... Mais je l'ai trouvé fermé à clef... Un peu plus tard, comme je passais non loin de là avec la concierge, je lui ai dit :

« — Et de ce côté, vous n'aérez pas?... Vous ne faites pas de nettoyages?

Elle m'a répondu :

« — Dans l'appartement de Mme la comtesse, oui, peut-être, un de ces jours, parce qu'il faut le tenir prêt, au cas où ça lui dirait de venir. Mais celui de M. le comte, à quoi bon?... Il paraît que si Madame vient passer l'automne ici, on doit y faire tout un chambardement, parce que M. Lionel veut le prendre pour lui. Alors, inutile de me donner de la peine maintenant.

Salvatore dit vivement :

— Mais il faudrait que vous soyez fixée au sujet de la statue, avant ce changement! Il faudrait même qu'elle fût enlevée... ou tout au moins qu'un témoin eût constaté l'existence du testament.

Ourida murmura :

— J'y ai bien pensé... Mais comment y arriverai-je, avec cette porte fermée?

— Nous en reparlerons, mademoiselle. Je vais réfléchir à tout ce que vous venez de m'apprendre... et du moment où je prends votre cause en main, vous pouvez être assurée que rien ne sera négligé de ce qui peut vous faire rendre plus prompte et plus entière justice.

Un regard de profonde reconnaissance le remercia. Il ajouta :

— Mais expliquez-moi donc une phrase que vous venez de prononcer... Vous avez dit que la concierge vous avait prise pour l'aider à ce nettoyage... Étiez-vous donc astreinte à des besognes de ce genre?

— Oui... Cela faisait partie du système d'éducation imaginé pour moi par Mme de Varouze. Instruction primaire, travaux d'aiguille très poussés... ceci était la part de Mlle Luce. Besognes ménagères les plus dures, sous la direction de la concierge, pour me préparer à mon futur état...

— Quel état?

Elle eut un sourire de tristesse amère.

— Celui de servante, paraît-il... On me faisait entrevoir comme faveur suprême de remplacer plus tard Brigida dans son emploi de femme de charge.

Le prince eut une exclamation indignée :

— Vous! vous!... Ah! l'odieuse créature que cette Mme de Varouze! Après vous avoir dépouillée de votre nom, de la fortune que vous destinait votre oncle, il fallait qu'elle poussât l'ignominie plus loin encore! Mais cette Mlle Luce, qu'est-elle donc pour se prêter à de pareilles infamies?

— Ce qu'elle est? Une malheureuse, elle aussi, je le crois... une victime, comme l'a été ma pauvre mère... comme je le serais, si je ne trouvais une aide, un appui capable de me soutenir dans la lutte contre mes ennemis.

— Une victime? Comment cela? Elle a cependant sa liberté?

— En apparence, oui. Mais elle est certainement

obligée d'obéir à Mme de Varouze, sous peine de quelque mystérieux châtiment. Quand nous nous sommes trouvées seules ici, après le départ de la comtesse et de ses enfants pour Paris, il y a neuf ans, elle m'a dit, un jour que je lui parlais de ma mère et de l'énigmatique disparition de mon frère :

— Ma petite Claire, je me doute fort bien que vous êtes victime d'une grande injustice. Mais comme je ne puis rien, absolument rien pour vous, je vous demande de garder votre secret, de ne jamais m'en dire un mot. Ainsi, je pourrai, en toute sincérité, répondre à Mme de Varouze, quand elle m'interrogera, que vous ne me parlez jamais de ces choses défendues. Croyez-moi, cela vaudra mieux pour vous comme pour moi.

« Elle s'est toujours montrée bonne à mon égard, m'a entourée de soins... et même, après m'avoir fait promettre de n'en dire mot à la comtesse, elle m'a donné une instruction beaucoup plus étendue qu'elle n'en avait reçu l'ordre. Cela, disait-elle, pouvait me servir plus tard... Mais cette bonté restait froide, sans expansion. On sent que cette pauvre femme porte en son âme un poids de souffrance qui l'accable... qui la rend indifférente à toutes choses. Elle a beaucoup vieilli, depuis quelques années. On lui donnerait bien plus que les quarante-cinq ans qu'elle vient d'avoir.

Don Salvatore, qui songeait, demanda :

— Ainsi, il ne faut pas compter sur son concours pour vous délivrer de vos ennemis?

Ourida secoua la tête :

— Oh! certainement non! Elle a de l'affection pour moi, cependant, j'en suis certaine... mais un obstacle mystérieux et insurmontable l'empêche de prendre ouvertement mon parti... J'ai même l'impression que je dois lui cacher soigneusement toute tentative que je ferais pour échapper à mon esclavage...

— Quoi donc! Croyez-vous qu'elle vous trahirait?

— Non, je ne le crois pas... Mais ce serait pour elle, sans doute, une terrible épreuve... une lutte qui la martyriserait... Tandis que si elle ignore tout, elle pourra fermement répondre à Mme de Varouze, au cas où celle-ci l'accuserait un jour de complicité avec moi.

— En effet. Mais qui donc est votre tuteur?

— Un cousin de Mme de Varouze, Italien comme elle... un nommé Manbelli.

— Le voyez-vous quelquefois?

— Jamais. Je l'ai seulement aperçu quand il est venu passer quelques jours ici, après la mort du comte.

— Bien, je vois ce que c'est : un homme de paille, derrière lequel agit Mme de Varouze. Et le conseil de famille, savez-vous qui le compose?

— Je l'ignore... j'ignore tout de cela.

— Je m'en informerai, ce sera chose facile. A Paris, je connais un homme intègre et fort habile en qui j'ai toute confiance, et qui m'aidera de sa compétence juridique pour voir clair en cette affaire.

Don Salvatore adressa encore à la jeune fille quelques autres questions, relatives à la disparition de son frère, à la mort de sa mère, aux procédés dont usait envers elle Brigida. Celle-ci, chaque année, venait passer une quinzaine de jours à la Roche-Soreix. Elle devait faire une enquête près des concierges chargés de surveiller, d'espionner les deux recluses. En outre, pendant son séjour, elle se complaisait à traiter les deux femmes, mais surtout Ourida, avec la dernière grossièreté; plus d'une fois même, comme la fière fillette se refusait à lui obéir, elle l'avait brutalement frappée.

En entendant cela, don Salvatore frémissait de furieuse indignation... Quoi! cette enfant délicieuse, cette merveilleuse Ourida était ainsi traitée par une odieuse servante, complice d'une misérable! Ah! il faudrait qu'il leur fît payer cela... qu'il obligeât ces femmes à courber le front devant leur victime!

Dans sa fine main blanche de patricien élégant, accoutumé aux soins les plus raffinés, il voyait la charmante petite main au délicat modelé, où les dures besognes commandées par Mme de Varouze avaient laissé leur trace. La robe de la jeune fille était d'une propreté extrême, mais usée, fanée, rallongée par un morceau disparate. Les chaussures apparaissaient plus vieilles encore que celles portées par Ourida pour se rendre à l'église.

— Don Salvatore demanda :

— Mme de Varouze vous donnait-elle du moins le nécessaire, comme nourriture... et pour le reste?

— Le nécessaire? Bien juste! Plus d'une fois, en dépit de mes protestations, Mlle Luce s'est privée pour moi d'une partie de ses repas.

— Pauvre, pauvre enfant!

Il la considérait avec une émotion profonde, qui donnait à son regard un charme plus pénétrant encore. Et elle, simple, confiante, un peu étourdie par cet événement inattendu, — la rencontre d'un sauveur, — abandonnait ingénument sa main entre celles de ce jeune étranger qui lui apparaissait comme le prince charmant, le chevalier des légendes venant délivrer une malheureuse persécutée.

Revenant enfin à la réalité, elle dit vivement :

— Il faut que je rentre maintenant, pour que

Mlle Luce ne s'étonne pas... Mais quand vous reverrai-je?

— Eh bien! dans quelques jours, voulez-vous? Je vais dès ce soir écrire à l'ambassade de France à Constantinople pour avoir tous les actes d'état civil et renseignements relatifs à vos parents et à vous-même. Puis je télégraphierai à Manet, l'avocat consultant dont je vous ai parlé tout à l'heure, afin qu'il vienne s'entretenir avec moi. En attendant la réponse de Constantinople, je viendrai vous rendre compte de son opinion sur cette affaire... Voyons, jeudi, par exemple?

— Oui, jeudi, dans l'après-midi... à ce même endroit. Il n'y a rien à craindre, car personne ne vient par ici.

Puis, aussitôt, elle se reprit, avec une charmante confusion, un regard de timide gratitude :

— Vraiment, je ne sais à quoi je pense de vous demander cela! Déjà, vous êtes tellement bon de vous occuper d'une pauvre petite fille isolée, malheureuse...

Il l'interrompit chaleureusement :

— C'est une vraie joie pour moi, mademoiselle! D'ailleurs, il m'est si facile d'arriver jusqu'ici! J'habite en ce moment le château d'Aigueblande, près de Châtel-Sablon, à une trentaine de kilomètres de la Roche-Soreix. En automobile, c'est insignifiant. Je laisse ma voiture à quelque distance de Champuis et, par la forêt, je suis très vite à la clôture du parc... Donc, à jeudi?

— Oui, don Salvatore... Et au cas où je prévoirais un empêchement, je tâcherais de vous en avertir par un mot que je mettrais... tenez, ici.

Elle désignait la fente d'un vieux tronc d'arbre.

Tout cela convenu, ils se séparèrent avec un éloquent regard où la jeune fille renfermait toute son ardente reconnaissance et don Salvatore l'intérêt passionné que lui inspirait cette descendante des Varouze, victime d'une odieuse intrigante.

XII

Quand il eut vu Ourida s'éloigner, disparaître derrière les arbres, le prince reprit le chemin du retour. Il marchait un peu comme en un rêve, ayant toujours devant les yeux la vision de ce jeune visage, de ces yeux qui, à eux seuls, auraient suffi à faire d'une femme une créature de charme incomparable. Tout ce qu'il s'était imaginé à l'avance de la beauté d'Ourida se trouvait dépassé par la réalité. Cette toute jeune fille, avec sa grâce un peu sauvage de jeune fleur solitaire, avec sa fierté naturelle et son ingénuité d'enfant, était l'être le plus séduisant, le plus délicieux qu'eût jamais rencontré le prince Falnerra.

Ainsi demeurait-il vivement impressionné par cette rencontre. Et dans l'automobile qui le ramenait vers Aigueblande, c'était encore à Ourida qu'il pensait, tandis qu'appuyé à l'accoudoir de velours il fermait à demi les paupières pour mieux réfléchir.

Ah! certes, il lui ferait rendre justice, à cette enfant charmante! Il serait son défenseur contre ses ennemies... cette comtesse de Varouze et sa complice, dont le rôle était des plus louches en toute l'affaire. Car enfin, du récit d'Ourida, il apparaissait que le comte avait dû être séquestré, tout au moins à ses derniers jours... Et quelle machination autour de cette malheureuse femme et de ses enfants! Qu'étaient devenus les papiers d'état civil qu'Ourida se rappelait bien avoir vu sa mère serrer dans son sac, au départ de Constantinople? Qu'était devenu le petit Etienne qui, disait la jeune fille, ressemblait déjà beaucoup à son père?

Et cette conduite odieuse à l'égard de l'enfant qu'on spoliait, à qui l'on enlevait même jusqu'à son nom, et dont on prétendait faire une servante dans cette demeure dont son frère aurait dû être le maître, d'après le testament du comte de Varouze!

« Ce sont des femmes habiles, songeait Salvatore avec un frémissement de colère. Seule contre elles, ou avec un appui médiocre, cette charmante Ourida aurait été vaincue, car elles ont certainement pris leurs précautions. Mais elles trouveront en moi un adversaire dont elles éprouveront vite la puissance. »

Puis il songea tout à coup :

« Eh! on jugera sans doute que je suis un défenseur bien compromettant, en la circonstance! Il est certain que... Eh bien! je mettrai en avant Manet, je le chargerai d'agir et je resterai dans la coulisse... car pour rien au monde je ne voudrais nuire à la réputation de cette pauvre enfant, qui se confie à moi avec tant de touchante candeur... et une si terrible inexpérience de la vie! »

De nouveau, il s'absorba dans l'évocation de la jeune fille aux yeux admirables, fiers et doux, en lesquels, pourtant, passaient de si ardentes lueurs. Ah! quelle âme rare et charmante elle devait avoir, cette merveilleuse petite rose... et quelles découvertes exquises ferait, en ce cœur virginal, celui qui en deviendrait le maître!

Quant à sa voix, don Salvatore ne pouvait y songer sans un frémissement de joie triomphante... car enfin il tenait là ce qu'il cherchait... ce qu'il désespérait presque de découvrir!

Tout occupé de ces pensées, de cette ravissante vision, le jeune homme trouva singulièrement court le trajet de Champuis à Aigueblande. Aussitôt qu'il eut quitté sa tenue de sortie, il se mit en devoir d'écrire à Constantinople et de préparer pour Manet, l'avocat consultant, une dépêche l'appelant près de lui. Un domestique reçut l'ordre de la porter sur l'heure au plus proche bureau de poste. Après quoi, le prince alla déjeuner, puis, ayant gagné la pièce appelée « Salon des Cerfs », d'après le sujet des magnifiques tapisseries dont elle était ornée, il alluma une cigarette et se mit à songer au meilleur moyen de mener l'affaire qui aboutirait à faire rentrer Ourida de Varouze dans sa fortune et dans sa véritable identité.

Tandis qu'il méditait ainsi, Michelino apparut, venant de la terrasse. Il était suivi des deux chiens favoris qui s'étaient pris de grande affection pour lui. Silencieusement, le jeune garçon vint s'asseoir aux pieds de son maître qui, tout à ses réflexions, n'accordait à son entrée qu'une attention distraite. D'un geste machinal, don Salvatore, étendant la main, caressa légèrement les cheveux de son protégé. Michelino leva sur lui un regard fervent, qui disait toute la tendresse, tout le dévouement de son âme. Et tandis qu'il était là, ses beaux yeux bleus attachés sur le prince Falnerra, celui-ci, tout à coup, eut un mouvement vif, une exclamation de surprise.

— Mais je sais, maintenant... je sais à qui tu ressembles, Michelino!

Oui, soudainement, il s'avisait qu'il avait devant

lui une reproduction plus jeune, plus fine, mais très frappante de Gérault de Varouze, tel qu'il l'avait connu dix-neuf ans auparavant! Aujourd'hui, son entretien avec Ourida lui avait fait évoquer à plusieurs reprises le souvenir de ce descendant des Varouze, qui lui avait inspiré une vive sympathie, et la mâle figure si franche, les yeux bleus au regard droit et bon, les souples cheveux fauves, toute cette noble physionomie masculine dont le temps avait estompé pour lui les traits caractéristiques, se trouvait en ce moment très présente à son esprit... si bien que la réponse à cette question que sa mère et lui-même s'étaient parfois posée : « Mais à qui donc ressemble cet enfant? » venait de se faire brusquement en lui, tandis qu'il regardait le fin visage aux yeux bleus, la tête couverte de cheveux blonds aux teintes fauves... Michelino, l'enfant abandonné, ressemblait à Gérault de Varouze.

Et cette constatation ouvrait devant le prince Falnerra des perspectives nouvelles, singulièrement intéressantes.

Cet enfant serait-il le petit Etienne, si mystérieusement disparu neuf ans auparavant? Mais pourquoi l'aurait-on conduit jusqu'en Sicile et confié à ce Giorgio Templi? Eh! pour faire mieux perdre sa trace, évidemment. Mais qu'est-ce que Giorgio faisait là-dedans? Était-il complice, ou avait-il été choisi à son insu pour garder l'enfant volé?

En ce dernier cas, il serait intéressant de chercher à savoir par qui, et pour quel motif, avait été fait ce choix d'un pauvre paysan sicilien, que le ou les ravisseurs du petit garçon devaient nécessairement connaître auparavant.

Une enquête auprès de Giorgio s'imposait donc en premier lieu. Don Salvatore en chargerait Padruccio, l'intendant, qui était adroit et saurait faire entendre au paysan que le maître serait impitoyable en cas de mensonge. Si cet homme était un complice, il parlerait, dénoncerait ceux qui lui avaient amené l'enfant, par crainte d'être chassé hors du domaine princier et de se voir poursuivi par la colère du prince Falnerra. S'il ne l'était pas... Alors, la piste serait infiniment plus difficile à suivre.

Pourtant, à mesure qu'il réfléchissait, don Salvatore croyait de plus en plus se trouver sur la bonne voie. Il y avait neuf ans que l'enfant inconnu — qui parlait français — avait été apporté chez Giorgio Templi... et neuf ans également qu'Etienne de Varouze avait disparu. Mme de Varouze était italienne, il n'y aurait donc rien d'étonnant à ce qu'elle eût un complice dans son pays.

A cet instant de ses réflexions, Salvatore songea tout à coup :

« Tiens, tiens... ce cousin dont on a fait le tuteur d'Ourida... n'aurait-il pas été aussi le ravisseur du petit Etienne? »

Oui, c'était une piste à suivre, cela! D'abord, il conviendrait de se renseigner sur les antécédents, sur l'existence actuelle du personnage. Et une enquête sur la comtesse de Varouze — principalement sur son existence antérieurement à son second mariage — serait également fort utile.

L'affaire prenait ainsi des proportions nouvelles... et susceptibles de devenir fort inquiétantes pour la châtelaine de la Roche-Soreix. Mais il fallait agir sans bruit, pour ne pas donner l'éveil à la criminelle et aux complices qu'elle devait avoir.

Pendant un instant, Salvatore délibéra s'il ferait part de sa découverte à Ourida, lors de sa prochaine entrevue avec elle, ou s'il attendrait d'avoir une certitude. Il s'arrêta à ce dernier parti pour épargner à la jeune fille une déception possible. Car enfin les ressemblances sont parfois trompeuses, et il se laissait peut-être emporter par son imagination... par son désir de donner une grande joie à cette délicieuse Ourida, qui devait être irrésistible quand le sourire entrouvrait ses lèvres et faisait briller ses yeux — ses grands yeux noirs si étrangement expressifs, dont on ne pouvait oublier le charme saisissant, quand on les avait connus.

Michelino, surpris par l'exclamation du prince, par la façon singulière dont celui-ci le considérait, attachait un regard étonné, un peu inquiet, sur la physionomie songeuse. Don Salvatore, s'en apercevant, lui donna une légère tape sur la joue en disant avec un sourire :

— Allons, Michelino, j'aurai peut-être d'ici quelque temps de bonnes nouvelles à t'apprendre. Je vais beaucoup m'occuper de toi, ces jours-ci... et aussi d'une autre autre personne à laquelle je m'intéresse extrêmement.

Michelino posa ses lèvres sur la main de son maître. Et dans ce baiser fervent, il mit tout son dévouement passionné, toute sa tendre reconnaissance pour celui qui avait fait du petit abandonné un être heureux, en lui donnant son affectueuse protection.

XIII

En s'éloignant du portique en ruine, Ourida, elle aussi, comme celui qu'elle venait de quitter, ne savait plus trop si elle rêvait ou si elle était bien éveillée... L'apparition de l'étranger, le revirement qui s'était produit en elle à son égard, l'assurance d'avoir maintenant un conseiller, un défenseur... tout cela était si complètement inattendu qu'elle pouvait à peine croire que ce fût la réalité.

Puis, aussi, quelle chose étrange que cette confiance entière, absolue, qui l'avait portée à faire connaître à cet étranger tout son secret... et même l'existence de ce mystérieux testament dont le comte de Varouze avait dit : « N'en parle que lorsque tu seras tout à fait jeune fille, et seulement à quelqu'un de très sûr, capable de t'aider, de te soutenir. »

Comment, si vite, si complètement, avait-elle compris que celui-là, le confident parfait, le défenseur énergique et loyal, ce serait cet étranger, ce prince Falnerra dont le superbe regard renfermait tant de volonté, tant d'impérieuse décision... et pourtant savait devenir si doux, si persuasif?

Certes, il lui avait dit qu'il connaissait Gérault

de Varouze, qu'il le tenait en grande sympathie et lui gardait un souvenir reconnaissant... Mais enfin ce n'était pas suffisant pour expliquer une confiance aussi entière, aussi spontanée... d'autant mieux qu'Ourida s'était exercée à la méfiance, durant ces années d'attente qui la séparaient du moment où elle pourrait essayer de faire valoir ses droits.

Fallait-il donc penser qu'il existait quelque sortilège en ces yeux bruns aux reflets d'or, ces beaux yeux ardents et veloutés qui avaient si vite convaincu Ourida, avec l'appui de la voix chaude, si prenante, aux accents de profonde sincérité?

Quoi qu'il en fût, le sort en était jeté. Il existait dans le monde un homme qui possédait le secret d'Ourida. Et cet homme, ce grand seigneur jeune, élégant, de si haute mine et certainement très puissant, — il l'avait d'ailleurs laissé entendre, — offrait avec la plus extrême bonté d'aider dans sa tâche difficile cette pauvre fille sans fortune, sans famille, sans protection, avant même qu'elle eût songé... qu'elle eût osé implorer son appui.

Ourida s'arrêta un moment au milieu d'une allée. Son cœur se gonflait de gratitude fervente, d'une admiration émue. Elle joignit les mains en songeant :

« O mon Dieu, je vous ai bien prié pour être délivrée de mes ennemis. Est-ce maintenant pour moi l'heure du salut? Ai-je tort de croire en cet étranger? Seigneur, inspirez l'enfant isolée que je suis! »

Puis elle se remit à marcher, en hâtant le pas. Il ne fallait pas que Mlle Luce pût s'étonner d'une trop longue absence. Au retour de la messe, Ourida, souffrant de migraine, avait dit qu'elle allait prendre un instant l'air sous les arbres du parc. L'institutrice n'avait pas fait d'objection. Mais Ourida savait qu'elle aimait peu à la voir s'attarder hors de sa présence. Il semblait qu'elle ne fût jamais tranquille dès que la jeune fille n'était plus sous ses yeux, sous sa surveillance.

Et cependant, comme l'avait dit Ourida au prince Falnerra, elle se montrait bonne pour l'orpheline. Celle-ci avait dû sentir, sous la froideur habituelle de cette femme qui devait avoir beaucoup souffert, une affection véritable, se manifestant par une sollicitude constante pour sa santé physique et morale. Puis aussi, en dépit du programme fixé par Mme de Varouze, Mlle Luce avait cultivé très largement l'intelligence remarquable de son élève.

— Je veux que vous ayez tous les moyens de vous tirer honorablement d'affaire plus tard, si vous parvenez à vous libérer de l'esclavage où voudra vous tenir cette femme, lui avait-elle dit. Avec une bonne instruction et l'habileté à tous les travaux d'aiguille, vous ne serez pas en peine de trouver une situation, soit d'un côté, soit de l'autre... Mais Mme de Varouze ne doit jamais soupçonner que je vous ai ainsi munie intellectuellement, car elle s'en prendrait à moi de la pire façon.

Il était une chose, par exemple, que Mme de Francueil n'avait pas voulu que son élève cultivât : sa voix. Cela, disait-elle, n'aurait pu se faire sans que les concierges, espions de la comtesse, s'en aperçussent. Le prétexte, en effet, apparaissait plausible, et Ourida n'avait jamais cherché à s'élever contre lui. Mais parfois, quand elle était seule au fond du parc, là où personne ne venait jamais, elle redisait, pour ne pas les oublier, les chants arabes que sa mère lui avait appris.

Ainsi donc, Ourida n'avait pas à se plaindre de sa compagne. Et pourtant, il n'existait entre elles aucun rapport confiant. Ourida ignorait tout du passé de la famille de cette femme près de laquelle, depuis neuf ans, elle vivait dans une constante intimité. De son côté, elle ne pouvait rien lui dire de ses désirs, de ses aspirations vers la délivrance, vers la liberté, du projet qu'elle formait de rechercher Etienne et de faire connaître le testament du comte de Varouze. Elle ne pouvait même pas lui parler de son père, de sa mère, de tous ses souvenirs heureux ou pénibles. Mlle Luce avait déclaré péremptoirement, un jour que l'enfant commençait à lui parler de Constantinople et de son père malade :

— Ma chère petite, je ne veux rien connaître de tout ce qui regarde votre famille, vos droits, votre nom véritable. Il n'y a pas sur la terre de créature plus impuissante que moi pour vous venir en aide. Ainsi donc, ce serait chose inutile et plutôt nuisible de me prendre pour confidente... Je vous soignerai de mon mieux, je vous donnerai les moyens de subvenir plus tard par le travail à votre existence, je ferai tout le possible pour que vous ne soyez pas trop malheureuse... Mais gardez votre secret, car je ne puis rien... je ne pourrai jamais rien pour vous.

Elle avait, en parlant, un air de si amère souffrance que la petite fille en avait été extrêmement frappée. Et depuis lors, Ourida avait renfermée en elle tous ses souvenirs, tous ses espoirs, n'en parlant qu'à Dieu seul dans ses ferventes prières.

Étant donné cette situation, la jeune fille ne pouvait rien dire à Mlle Luce de son entretien avec le prince Falnerra. Il fallut même qu'elle se composât la physionomie, avant d'entrer au logis, car elle sentait que celle-ci devait laisser quelque peu transparaître l'émotion profonde qui dominait son âme.

Les deux femmes occupaient, dans la maison de Mahault, non la grande chambre où était morte Medjine, mais les deux pièces qui se trouvaient de l'autre côté du vestibule. Mme de Varouze les avait fait succinctement meubler, au moment où elle y avait installé Mlle Luce avec l'enfant. La première servait de cuisine et salle à manger; dans la seconde couchaient l'institutrice et Ourida.

Quand la jeune fille entra, Mlle de Francueil, assise devant la table couverte d'une vieille toile cirée, dessinait un modèle de broderie. Sans lever la tête, elle demanda :

— Eh bien! votre mal de tête est-il un peu passé, Claire?

— Un peu, oui, mademoiselle.

— Tant mieux... Cela ne vous fatiguera pas de vous occuper du déjeuner?

— Oh! pas du tout! Qu'allons-nous faire ce matin?

— Il y a bien peu de choses... Mme Berton devient de plus en plus parcimonieuse.

Ourida eut un sourire nuancé d'amertume.

— Elle a sans doute des ordres pour cela... Au fond, mademoiselle, depuis des années, on nous donne juste de quoi ne pas mourir de faim.

Une tragique lueur traversa les prunelles sombres de Mlle Luce. Mais elle ne releva pas ces paroles. Étendant la main, elle désigna une enveloppe posée sur la table, près d'elle.

— Voici une lettre de Mme de Varouze, que Berton m'a apportée tout à l'heure. Elle s'étonne que les broderies commandées par elle le mois dernier ne soient pas encore terminées et m'enjoint de les lui envoyer jeudi, absolument.

Une vive rougeur de colère monta au teint délicatement satiné de la jeune fille.

— Elle s'étonne qu'elles ne soient pas terminées? Alors que le double de temps, au moins, serait nécessaire pour un ouvrage aussi compliqué! C'est une exigence folle... et vous pouvez lui répondre, mademoiselle, qu'il nous sera impossible de la satisfaire!

Mlle Luce répliqua, d'un ton calme et décidé :

— Il faudra pourtant que ce soit fait... « Il le faudra », Claire.

— Mais c'est une tâche impossible!

— Non, en travaillant jour et nuit, jusqu'à jeudi.

— Jour et nuit? Ah! certes non, car il n'est pas nécessaire que nous perdions nos yeux pour complaire aux méchantes fantaisies de...

Mlle Luce l'interrompit, d'un geste impérieux.

— Taisez-vous, Claire! Vous ne pensez donc pas qu'on peut vous entendre, malheureuse enfant?

Mais Ourida, la tête redressée, riposta :

— Qu'importe, après tout! Nous ne sommes pas les esclaves de cette femme, pour plier ainsi sous le joug!

Mlle de Francueil eut un soupir douloureux, en crispant sur le papier posé devant elle sa main longue et mince où les os saillaient sous la peau jaunie. Et, farouchement, elle murmura :

— Si, nous le sommes... Vous le savez bien, Claire.

— Oh! moi, je n'accepte pas la situation, mademoiselle! Voilà que je ne suis plus une enfant... j'ai dix-huit ans et je compte bien me défendre contre les prétentions de Mme de Varouze!

Mlle Luce attacha un regard de surprise effrayée sur le visage animé, les yeux brillants de son élève.

— Ma pauvre petite, à quoi songez-vous là? Cette

femme vous brisera comme verre, jeune, inexpérimentée, sans appui comme vous l'êtes.

Les yeux noirs se cachèrent un instant sous le voile des cils soyeux. Ourida ne voulait pas que Mlle Luce pût y lire son espoir... sa bienheureuse certitude que cet appui ne lui manquerait pas.

Elle dit avec un calme apparent :

— Il est cependant bien certain, mademoiselle, que je ferai tout au monde, quand il sera temps, pour obtenir mon indépendance. Mais vous avez raison, je suis trop jeune encore... Et pour en revenir à ces broderies, je vous assure qu'il nous sera impossible de les finir pour la date fixée, même en travaillant jour et nuit. Mieux vaut donc en prévenir la comtesse et demander un délai.

Mlle Luce dit avec un accent de froide résolution :

— Je ne lui demanderai rien. Ces broderies peuvent être terminées au jour dit... et elles le seront.

Ourida n'insista pas. Elle s'était heurtée plus d'une fois, surtout depuis quelques années, à ces obstinations d'un esprit aigri, dominé par quelque mystérieuse obligation contre laquelle il ne cherchait même plus à s'indigner. Mlle de Francueil semblait s'être faite à la servitude où la tenait Mme de Varouze et acceptait avec une sorte de fatalisme, d'indifférence orgueilleuse, toutes les exigences d'Angelica.

Ayant noué un tablier autour de sa taille, Ourida se mit en devoir d'allumer le petit fourneau. Mlle Luce, accoudée à la table, la suivait d'un regard perplexe et douloureux. Il lui semblait que la beauté de son élève — cette beauté qui l'effrayait tant pour la jeune fille isolée — n'avait jamais été plus saisissante qu'aujourd'hui. Le teint, pâli par la fatigue, par une nourriture insuffisante et les soucis intérieurs, prenait en ce moment une délicate teinte rosée, les yeux paraissaient éclairés d'une lumière plus vive, d'un mystérieux rayonnement. Mlle de Francueil soupira tout bas, en songeant :

« Ah! pauvre petite, pauvre petite... quel terrible don vous avez reçu là! »

C'était, depuis quelques années, le tourment secret de cette femme qui s'était profondément attachée à l'enfant confié à ses soins... l'enfant dont elle voyait croître chaque jour, à mesure qu'elle sortait de l'adolescence, le charme incomparable. Comment, une fois libre, quand elle chercherait à gagner sa vie, se défendrait-elle, seule, contre ceux qu'affolerait sa beauté? Certes, elle avait l'âme la plus délicate, et en même temps la plus énergique qu'il fût possible d'imaginer. Mais les hommes savent tendre des pièges subtils... et le cœur de cette enfant était ardent, avide d'affection. Avec un nouveau soupir, Mlle Luce concluait qu'il lui faudrait se décider à instruire son élève des dangers qui l'attendaient. Jusqu'ici, elle avait reculé l'instant où elle devrait toucher à l'ignorance de cette âme très blanche; mais elle comprenait que son devoir l'exigeait — d'autant plus qu'elle se sentait physiquement fort atteinte, et pouvant d'un jour à l'autre manquer à sa protégée.

« J'ai du moins pu l'empêcher de se servir de sa voix, songeait-elle. Là, elle aurait cependant trouvé le succès... la gloire peut-être... mais au prix de quels périls! Mieux vaut cent fois pour elle une existence plus humble. Mais un être comme elle, pourvu de tels dons physiques et intellectuels, ne peut nulle part passer inaperçu... hélas! »

Et, le front crispé, Mlle de Francueil se remit à son travail.

Ourida, souple et vive, vaquait à sa besogne ménagère et paraissait y apporter toute son attention. Mais, en pensée, elle était encore là-bas, près du vieux portique romain. Elle entendait une voix chaude, aux intonations vibrantes... elle voyait une tête aux boucles brunes, des yeux impérieux et doux traversés de fascinantes lueurs... et ce sourire fin, si charmeur, dont elle avait conservé le souvenir depuis que, petite fille, elle l'avait vu sur les lèvres du jeune prince Falnerra, hôte de la Roche-Soreix.

A un moment, elle porta machinalement la main à son visage et sentit monter à ses narines un léger parfum, d'une extrême finesse. D'où cela venait-il? Car il n'y avait pas à la maison de Mahault la moindre eau de senteur, et les deux femmes se servaient uniquement de vulgaire savon blanc. Mais Ourida se souvint tout à coup des mains qui avaient pressé la sienne, avec une si vive sympathie, pendant qu'elle confiait à don Salvatore sa dramatique histoire. Elle eut un petit frémissement et aspira doucement le subtil arôme, en songeant :

« Comme il a été bon pour moi!.. »

XIV

Mme de Varouze habitait, à Passy, un appartement fort élégant. Son train de vie était large, ses réceptions très agréables et très suivies. Elle méditait, maintenant que sa fille avait fait son entrée dans le monde, de les faire plus brillantes encore. Une autre raison, aussi, l'incitait à déployer plus de faste. Lionel allait être fiancé à une aristocratique jeune fille, à la vérité peu jolie, d'intelligence médiocre, mais pourvue d'une grosse fortune et de quartiers de noblesse suffisants pour contenter le plus difficile des chapitres autrichiens, lesquels étaient fort exigeants en la matière. Mlle Marie-Thérèse de Vasselon, orpheline, — avantage fort appréciable aux yeux de Lionel et de sa mère, s'était laissée ensorceler par l'un et par l'autre, et les regards câlins, les compliments habiles du jeune homme achevant l'œuvre, elle était devenue très éprise de lui, si bien qu'il se sentait assuré d'être accueilli par un consentement empressé, dès qu'il présenterait une demande en mariage.

Angelica voyait ainsi atteint un de ses buts : l'union de son fils avec une représentante de la meilleure noblesse. Pour elle, qui savait la bassesse de ses origines, qui n'ignorait pas ce qu'avait été son aïeul maternel, ce résultat représentant un triomphe éclatant. Mais, grisée par le succès, affolée par l'ambition, elle osait maintenant rêver bien plus encore. La passion soudaine éclose chez Lea, dès qu'elle avait vu le prince Falnerra, lui avait donné l'idée de tenter cette éblouissante conquête. Les difficultés prévues ne pouvaient qu'exciter une nature telle que celle-là, qui se plaisait aux intrigues, aux travaux de sape, à toutes les hypocrisies. Et le résultat souhaité valait bien, d'ailleurs, toutes les peines que l'on prendrait pour l'atteindre!

Angelica songeait à ces choses, un après-midi, trois jours après la soirée à l'hôtel Falnerra, quand son cousin entra dans le salon où elle se trouvait. Orso Manbelli était un visiteur assidu de la comtesse de Varouze et ne manquait aucune des réunions mondaines qui se donnaient chez elle. Dûment stylé par sa cousine, il avait acquis des manières suffisamment correctes pour que Mme de Varouze pût sans crainte le présenter à ses relations. Certes, il n'avait pas fallu moins que cette puissante influence féminine pour transformer ainsi le bohème, ou pour parler plus exactement le rastaquouère, en un homme du monde fort passable. C'était là encore une preuve de l'habileté prestigieuse d'Angelica et du pouvoir qu'elle continuait d'exercer sur cet homme plus que jamais épris d'elle.

A l'entrée d'Orso, la comtesse leva le tête et dit, l'air distrait :

— Ah! bonjour, mon cher... je ne comptais pas sur toi aujourd'hui.

— Je suis envoyé par ton amie Sephora qui a besoin de te parler dès cet après-midi, si c'est possible.

— Ah! vraiment? Qu'y a-t-il donc? J'irai, naturellement. Et même, je m'y rends à l'instant. Sonne, Orso, et dis qu'on prépare la voiture. Pendant ce temps, je vais m'habiller.

Vingt minutes plus tard, Mme de Varouze reparaissait dans le salon où son cousin l'attendait. Elle demanda :

— Tu m'accompagnes?

— Mais oui. La signora Clesini m'a dit : « Nous aurons peut-être besoin de vous. »

Angelica eut un léger froncement de sourcils, en songeant :

« C'est donc quelque chose de bien sérieux? »

Dans le magasin d'antiquités, Ricardo Clesini se trouvait seul quand la comtesse et Orso y entrèrent. Le petit homme, laissant là des médailles anciennes qu'il examinait à la loupe, se leva et vint à Angelica, dont il serra cordialement la main.

— Sephora vous attend, signora.

— Bien, je vais la trouver. Ne vous dérangez pas, signor.

Angelica se dirigea vers le fond du magasin tandis qu'Orso, sur l'invitation de l'antiquaire, prenait place sur un siège. En personne habituée aux aîtres, Mme de Varouze traversa l'arrière-boutique et ouvrit délibérément la porte capitonnée du salon qui était la retraite préférée de la signora Clesini.

Sephora, assise sur le divan de soie jaune, examinait des bijoux contenus dans un coffret d'argent niellé. A l'entrée de son amie, elle leva la tête et sourit légèrement.

— Je savais bien que tu ne tarderais pas. Tu as compris que j'avais une chose importante à t'apprendre?

— Mais oui, ma belle... surtout quand Orso m'a dit que tu lui avais enjoint de se tenir à notre disposition.

Sephora posa le coffret sur une table et se recula un peu pour faire place, près d'elle, à la comtesse.

— Viens que je te dise cela... Tu sais que de temps à autre — à peu près tous les ans — je fais prendre par un homme sûr des renseignements, afin de nous tenir toujours au courant de ce que devient l'enfant dont tu m'as naguère confié le sort?

— Oui... Eh bien?

— Eh bien! ma petite Angelica, mon informateur vient de m'apprendre que depuis la fin d'avril le petit garçon en question n'est plus chez le paysan auquel Orso Manbelli l'avait confié. Il a été placé, par l'intendant du domaine, au service du prince Falnerra...

Angelica sursauta :

— Oui... comme petit valet de pied, ou quelque chose en ce genre. Il a envoyé à Giorgio Templi le premier mois de ses gages. Puis, un jour, l'intendant du prince est venu chez le paysan et lui a remis une somme d'argent, en lui disant : « Son Altesse, désormais, se charge complètement du sort de Michelino. Voici donc pour solder les dépenses que vous avez pu avoir à faire à cause de lui depuis qu'il est chez vous. »

— Et ensuite?

— Ensuite, mon homme a essayé d'en savoir davantage. Le palais étant inhabité, il a interrogé discrètement les gardiens. Mais ceux-ci, vieux serviteurs, ne parlent pas facilement. Il a pu néanmoins apprendre que ledit Michelino n'était plus domestique. Le prince, lui ayant découvert une fort jolie voix, l'a pris en grande faveur et lui fait donner une instruction soignée par son chapelain et l'un de ses secrétaires. L'enfant est, paraît-il, charmant et des mieux doués.

La physionomie d'Angelica, tandis que la signora Clesini parlait, dénotait une forte préoccupation, une contrariété extrême.

— Voilà qui me paraît quelque peu inquiétant... surtout si cet enfant ressemble à son père. Le prince a connu Gérault... et il a une excellente mémoire. Mais cet ennui s'aggrave, en la circonstance, du fait que le prince Falnerra, ainsi que Lionel l'a appris hier soir au cercle, est parti pour son château d'Aigueblande. Or, ce château se trouve à trente kilomètres de la Roche-Soreix. Que va-t-il faire là-bas en cette saison? Aurait-il des soupçons et songerait-il à faire une enquête?

Sephora hocha la tête.

— Des soupçons? Il me semble bien difficile qu'il en ait. Ce jeune garçon ressemble peut-être à Gérault de Varouze, dis-tu? Eh bien! en quoi cela peut-il te nuire? En admettant qu'il se figure que le soi-disant Michelino est l'enfant de Gérault, par quelle filière arriverait-il — en supposant qu'il voulût s'en donner la peine — à établir sur une base quelconque son hypothèse? S'il te parlait quelque jour de cela, tu montrerais une grande surprise, en disant que tu ignores complètement si le neveu de ton mari a eu des enfants. Du reste, tu saurais mieux que moi encore lui répondre à ce sujet, de façon à bien changer son idée à l'égard de ce garçon — toujours en admettant qu'il en ait une, ce qui n'est guère à envisager.

Angelica secoua de nouveau la tête.

— Je n'aurais pas en effet la moindre inquiétude... s'il n'y avait que le fils. Mais il y a sa sœur.

— Eh bien?

— Eh bien! le prince Falnerra l'a vue une fois, alors qu'elle habitait avec sa mère la maison de Mahault. Il lui a parlé même... il l'a entendue chanter en langue arabe, et j'ai tout lieu de craindre que la petite peste, malgré ma défense, lui ait dit son nom.

— Oh! alors, la situation change, en effet! Si elle lui a dit s'appeler Ourida de Varouze, — et peut-être même sa confidence ne s'est-elle pas bornée là, — il est évident que le prince soupçonnerait quelque chose de ce côté.

— Oui. Mais ce qui me rassure un peu... ce qui me donne à douter que cette Claire lui ait fait des révélations fâcheuses, c'est qu'il a toujours continué de demeurer en relation avec nous. Or, pour qui connaît le prince Falnerra, il y a là un signe infaillible qu'il n'a contre nous aucune suspicion fâcheuse.

— Alors, que peux-tu craindre?

— Je ne sais trop... Il m'est fort désagréable de penser que le frère et la sœur se trouvent ainsi rapprochés. Cependant, Claire ne sortant jamais, sauf pour se rendre à l'église, il n'y a guère possibilité de rencontre.

— Si tu étais sûre que la petite n'a pas dit autrefois son nom au prince, je ne vois pas trop pourquoi tu t'inquiéterais, en ce cas.

— Elle a prétendu que non... Mais, par crainte de ma colère, elle a pu mentir.

— Cette même crainte a pu également l'empêcher de te désobéir. Enfin, il est évident qu'il y a là quelque chose à surveiller. Quant à ce voyage du prince en Auvergne, à cette époque, je ne vois pas que tu aies lieu d'en tirer des déductions fâcheuses. Ce grand seigneur très encensé, très artiste en outre, est coutumier, m'a-t-on dit, de subites fantaisies, et a parfois des goûts de solitude quand l'inspiration occupe son esprit.

— C'est exact. Néanmoins, la seule présence de l'enfant à une si courte distance de la Roche-Soreix m'est désagréable. Ainsi que tu le dis, une surveillance est nécessaire tant que le prince demeurera à Aigueblande. Je vais envoyer Brigida là-bas pour qu'elle ait l'œil à cela.

— Soit. Mieux vaut prendre des précautions, tout inutiles qu'elles me paraissent... Quant au petit garçon, je ne crois pas, à la réflexion, que sa présence près du prince Falnerra puisse présenter quelque danger.

— Peut-être pas. Toutefois, là encore, nous devrons veiller... Vois-tu, Sephora, ce qu'il nous faudrait, c'est un homme à nous parmi la domesticité princière... un homme chargé d'épier, d'écouter au besoin, et de tout nous redire.

— Oui, ceci encore serait une bonne précaution. Nous y réfléchirons. Pour trouver l'homme qu'il nous faut, Ricardo ne sera pas embarrassé. Mais la difficulté consisterait à le faire entrer au service du prince. Toutefois, mon mari a réussi des choses beaucoup plus épineuses.

— Oui, je sais que j'ai en vous deux des aides précieux, des amis incomparables. Sans vous, je n'aurais pu aussi facilement faire disparaître le petit Etienne et effacer toute trace capable de mettre sur sa piste... En outre, grâce à toi, j'ai pour la fille de Gérault une geôlière admirable en la personne de Luce de Francueil.

A ce nom, un éclair de joie haineuse traversa les noires prunelles de Sephora. Puis un rire sourd, un rire cruel passa entre ses lèvres qui restaient d'une vive couleur de pourpre, dans la pâleur du visage altéré par la souffrance physique, et, peut-être, par quelque cause morale, quelque rongeant souvenir.

— Ah! la belle Luce!... Brigida m'a dit qu'elle était bien plus fanée que moi.

— Oui, elle est très vieillie, paraît-il, et semble assez atteinte dans sa santé. Mais elle remplit toujours correctement le rôle que je lui ai assigné près de Claire Lambert.

— Eh! c'est qu'elle ne peut faire autrement! Ah! je la tiens bien, la misérable qui a pris l'amour de Cesare, tandis que je souffrais sur mon lit d'infirme! Elle a su, elle sait encore ce qu'il en coûte de remplacer une Sephora Galbi dans le cœur du comte Dorghèse!

Une lueur fauve s'allumait dans les yeux sombres de l'ancienne danseuse, et les lèvres se retroussèrent sur les dents aiguës, très blanches.

Angelica sourit en passant la main sur l'épaule de son amie.

— Allons, ma belle tigresse, tu t'es bien vengée! Luce a souffert atrocement, depuis dix-neuf ans — et surtout dans son immense orgueil. Elle souffrira jusqu'à son dernier jour. Oh! elle ira jusqu'au bout, sans rien dire! Pense donc, son frère aîné occupe maintenant un haut poste diplomatique; il a des fils qui suivront ses traces, une fille que l'on dit fiancée au marquis de Vallandrano, grand d'Espagne et haut dignitaire de la cour de Madrid. Quant au frère cadet, le fameux Louis, cause du malheur de sa sœur, il vient d'être nommé à je ne sais plus quel poste, assez important, au ministère des Affaires étrangères... Tu comprends qu'après avoir enduré pendant tant d'années les pires humiliations, et le plus dur esclavage, ce ne serait pas le moment, pour Luce, de détruire tout ce qu'elle a acheté si cher. Aussi lui ai-je en toute confiance donné la garde de Claire. Elle est prévenue qu'au cas où celle-ci commettrait quelque indiscrétion, tenterait quelque révolte, c'est elle qui en serait rendue responsable. Alors, certain petit papier verrait le jour... et M. le comte de Francueil, ambassadeur à Madrid, Mme la comtesse, sa noble et très fière épouse, si honorée, si estimés, apprendraient que leur nom est déshonoré. Plus de mariage pour leur fille, plus de situations brillantes pour leurs fils. Plus de poste diplomatique pour le père. Il ne leur resterait qu'à se cacher dans une de leurs terres... et encore se verraient-ils sans doute montrés du doigt... Oh ! Luce est tenue par moi au courant de tout ce qui concerne sa famille... et maintenant moins que jamais, en sachant quelle situation enviée occupe son aîné, quel bel avenir attend ses neveux, elle aura idée de se révolter, de secouer le joug !

Sephora eut un sourire de satisfaction cruelle.

— C'est parfait... tout à fait parfait... Mais, chère amie, je me demande si tu n'auras pas beaucoup d'ennuis avec cette pseudo-Claire Lambert... Brigida, en revenant de faire son tour là-bas, il y a six mois, disait que sa beauté devenait réellement remarquable... En outre, elle est, paraît-il, toujours fière et donne l'impression de ne pas se laisser facilement asservir.

— Oui, je me doute que j'aurai quelque peine de ce côté... Au fond, Sephora, Brigida avait raison quand elle me conseillait, autrefois, de supprimer cette enfant. J'ai refusé, parce que ce sont là des choses dangereuses, auxquelles je ne me décide qu'à la dernière extrémité... J'espérais que la petite, mal nourrie, privée de sa mère et de son frère, vivant dans cette solitude, à l'écart de toute distraction, en la seule compagnie de ce glaçon qu'est Mlle Luce, dépérirait peu à peu et nous débarrasserait d'elle sans bruit, de façon très naturelle... Pas du tout, elle a résisté au régime, et Brigida me dit que, tout en étant un peu pâle, un peu maigre, elle paraît avoir assez bonne santé.

— Que veux-tu, ma chère, si tu juges à un moment donné qu'elle soit susceptible de te gêner, tu seras toujours à même d'aviser... d'improviser un accident, par exemple. C'est la meilleure manière.

— Oui, parfois... Mais il rate quelquefois, l'accident. Témoin celui qui devait faire hériter du prince Falnerra certain personnage de ta connaissance.

Sephora eut un sourire de froide ironie.

— En effet, le comte Dorghèse a manqué là son coup... Il était assez bien combiné, cependant. Mais Gérault de Varouze vint troubler la fête... Orso a eu la chance de s'en tirer sans dommage.

Elle songea un moment, ses belles mains caressant d'un geste machinal le satin noir de sa robe d'intérieur... Puis elle murmura pensivement :

— Il n'a qu'à prendre garde, le prince Falnerra... Don Cesare recommencera tôt ou tard.

— Oh! le crois-tu vraiment?

— J'en suis persuadée... Jusqu'ici, par son riche mariage, par l'héritage du marquis Sandella, légalement volé aux parents du défunt, il avait pu faire face à son existence de luxe, de folies et de jeu. Mais, depuis quelques mois, il est de nouveau en mauvaise posture... Jacob Goresko, un banquier roumain dont le comte a détourné la femme, s'est vengé en rachetant toutes les créances signées de lui et en lui en imposant le payement sous peine de poursuites... Don Cesare, ne pouvant trouver de prêteur, s'est décidé à solliciter l'aide de son cousin, en dépit de la façon très raide par laquelle celui-ci avait jugé ses manœuvres autour du marquis Sandella. Pour cela donc, il s'est rendu en Sicile, a eu un entretien avec le prince Falnerra. Il a dû obtenir ce qu'il voulait, car Goresko n'a pas bougé... Mais mon informateur, qui l'a vu sortir du palais Falnerra, m'a écrit : « Cet homme, avec son visage pâle, sa bouche crispée par un mauvais sourire, ses yeux où j'ai cru voir, au passage, une terrible lueur de haine, m'a donné l'impression d'un être méditant quelque sinistre dessein. »

— Il n'est pas impossible, en effet, qu'il songe...

— Il y songe certainement. Son cousin a dû lui faire entendre quelque dure vérité. Puis, c'était une terrible humiliation d'aller solliciter ce jeune homme qui s'était détourné de lui avec mépris... Vindicatif comme je le connais, il doit désirer se venger... En outre, il est à nouveau complètement ruiné. La fortune du prince Falnerra lui est nécessaire... Or, nous savons qu'un crime ne lui fait pas peur, quand il le juge utile.

— Oui... à condition qu'il trouve le complice qui frappera en son lieu et place, comme autrefois Orso. Car lui paraît aimer à rester dans la coulisse, en ces circonstances.

Sephora eut un rire sourd et sardonique.

— En effet, il sait toujours se mettre à l'abri. Oh! c'est un habile homme que don Cesare!... un homme remarquable, sous certains rapports.

Ses lèvres se serrèrent un instant, nerveusement, tandis que ses paupières mates s'abaissaient avec lenteur sur les yeux sombres, dont tout le feu semblait évanoui... Puis, étendant la main, elle prit le coffret d'argent et le posa sur ses genoux.

— Tiens, vois, Angelica...

Elle leva le couvercle... Sur le satin bleu pâle qui

capitonnait l'intérieur, des joyaux reposaient : parure de diamants, de perles, diadème de rubis, bagues et bracelets de la plus grande richesse.

— Tes bijoux? dit Angelica. Ils sont superbes.

Sephora rectifia, d'un ton âpre :

— Les bijoux que m'a offerts autrefois le comte Dorghèse... Parfois, je me plais à les revoir, pour entretenir le souvenir... et la haine.

— De la haine qui est peut-être toujours de l'amour, Sephora.

La signora Clesini ne protesta pas et ne détourna pas son regard des yeux scrutateurs de son amie... Elle dit avec un demi-sourire d'ironie :

— Tu parles comme Ricardo, ma petite Angelica.

Ses doigts, où ne se voyait aucune bague, jouaient avec les précieux joyaux, qui jetaient de fulgurants éclairs... Puis elle se leva, péniblement, sans le secours de sa canne, et, en boitant, s'approcha d'une glace. Posant le coffret sur une table, elle y prit le diadème qu'elle mit sur ses cheveux. Puis les perles furent enroulées autour de son cou, des bracelets entourèrent les poignets, des bagues étincelèrent aux doigts qu'agitait un frémissement. Quand ce fut fait, Sephora se tourna vers le portrait qui la représentait dans toute la splendeur de sa beauté, peu de temps avant l'accident qui avait transformé son existence...

Sur ses cheveux bruns, elle avait le même diadème de rubis... Autour de son cou d'une mate blancheur s'enroulait le même collier de perles... Bagues et bracelets ornaient ses doigts et ses bras superbes... Mais vingt ans d'infirmité, de souffrance, de ressentiment farouche, séparaient la triomphante jeune femme à la robe de brocart jaune pâle, au regard passionné, de la femme vieillie dont le dos se voûtait légèrement, dont les traits s'altéraient, dont la sombre chevelure se parsemait de fils blancs.

Sephora, pendant un instant, considéra alternativement la glace où se reflétaient son image et le portrait signé d'un peintre florentin en grand renom... Puis elle eut un rire étouffé, en se tournant à demi vers Angelica.

— Il faut convenir que personne, en cette quasi vieille femme, ne reconnaîtrait plus la Galbi, la belle danseuse de l'Alfieri qui reçut tant d'hommages, entre lesquels jamais elle ne voulut accueillir que ceux de Cesare Dorghèse. Lui-même ne me reconnaîtrait pas, dis, Angelica?

Sa voix avait des intonations d'âpre raillerie, ses prunelles, tout à coup, reprenaient leur éclat de feu... Et ce regard, si plein de vie, si tragiquement passionné, c'était la seule chose qui rappelât complètement chez la signora Clesini la belle Sephora qu'avait aimée le comte Dorghèse.

Mme de Varouze dit vivement :

— Si, amie, il te reconnaîtrait à tes yeux.

— Mes yeux... Que ne m'a-t-il pas dit sur eux!... Qu'ils étaient ses étoiles... qu'il ne pourrait exister sans eux... que...

Elle s'interrompit avec un ricanement sardonique.

— A quoi bon répéter ces mensonges?... Il m'a prouvé la valeur de son amour... et ce qu'on pouvait attendre d'un homme comme lui.

D'un geste brusque, elle enleva les joyaux, les jeta dans le coffret et ferma celui-ci... Puis elle se tourna vers Angelica. Son visage, un instant contracté, redevenait calme. Dans ses yeux s'allumait une flamme de dédain ironique.

— Au fond, vois-tu, ma chère, les hommes sont des êtres faibles, auxquels il serait peut-être injuste d'en vouloir trop profondément... Oui, des êtres faibles et lâches. Cesare a reculé devant le sacrifice à faire pour me rendre heureuse... Cesare m'a oubliée aussitôt, en aimant ailleurs... C'est vil, c'est misérable... et j'en ai terriblement souffert. Mais j'ai reconnu que c'était là chose inévitable... L'homme est le jouet de la femme. Luce de Francueil m'a remplacée dans son cœur. Or, je m'étais juré que, s'il m'abandonnait, je poursuivrais de ma haine celle qu'il aimerait... Tu sais comment j'ai tenu parole.

Elle étendit la main vers la statue de Junon qui reposait sur son socle en malachite, entre les deux candélabres d'argent. Devant elle, comme autrefois, une légère fumée au parfum pénétrant s'élevait d'un brûle-parfum de bronze.

— ... Je ne crois pas que celle-ci ait imaginé un moyen de vengeance aussi parfait que le mien... Luce de Francueil, depuis dix-neuf ans, n'est plus qu'une esclave... et tu as poussé le raffinement jusqu'à en faire en quelque sorte la complice, dans cette affaire de la veuve et des enfants de Gérault. Donc, nous sommes assurées qu'elle se pliera à tout... qu'elle ne nous refusera rien et fera taire sa conscience, si nous l'exigeons.

Angelica eut un geste approbateur.

— Elle ne pourrait agir autrement, sous peine de rendre inutile tout ce qu'elle a enduré jusqu'ici... Oh! elle est bien notre prisonnière, l'orgueilleuse Luce! Elle ne nous échappera pas!

Sur ces mots, Mme de Varouze se leva, en ajoutant :

— Il faut que je te quitte, car je dois aller avec Lea voir une exposition de dentelles... Alors, nous n'avons pas besoin d'Orso pour le moment?

— Non, il faut voir venir... surveiller. Je vais dire

à Ricardo de chercher un moyen pour introduire quelqu'un à nous dans la place... En cas de nécessité, il faudrait aviser à faire disparaître l'enfant. Mais ce sont là, comme tu le disais tout à l'heure, des opérations dangereuses que nous cherchons toujours à éviter. En la circonstance, je ne crois pas avoir besoin d'y recourir, car il me semble impossible que le prince Falnerra tombe sur la bonne piste — si toutefois la petite fille ne lui a réellement pas dit son nom.

— Cela, je ne pourrai probablement pas le savoir. Claire me répondra encore négativement, si je l'interroge... La seule chose nécessaire est donc de la tenir en surveillance pour qu'elle ne puisse avoir aucun rapport avec le dehors. Je vais faire tenir à Mlle Luce, par Brigida, les recommandations les plus sévères à ce sujet.

Là-dessus, les deux amies — si dignes l'une de l'autre — s'embrassèrent et se séparèrent.

XV

L'avocat, mandé par télégramme à Aigueblande, arriva deux jours après l'entretien du prince Falnerra avec Ourida. Aussitôt qu'il se fut restauré, qu'il eut réparé dans l'appartement préparé pour lui les traces d'une nuit de voyage, un domestique vint le chercher pour l'introduire près de don Salvatore... Mis au courant de l'affaire, Me Manet déclara aussitôt :

— Mais, Altesse, la première chose à faire, pour cette jeune fille, est de demander son émancipation. Elle y a droit, ayant dix-huit ans... Après cela, étant libre, elle pourra faire les recherches et démarches nécessaires pour prouver son identité, pour reconstituer son état civil.

— C'était bien, en effet, ce que je pensais... Mais il nous faudra agir pour elle, en son nom, car elle est prisonnière, en quelque sorte... De plus, Mme de Varouze, si elle apprenait cette démarche, ferait certainement tout le possible pour l'empêcher. Son odieuse intrigue autour de cette pauvre veuve et de ces enfants prouve qu'elle ignore tous les scrupules... Nous pouvons même supposer qu'elle ne regarderait pas, le cas échéant, à user de quelque procédé plus ou moins criminel, afin de se débarrasser de cette jeune fille, qui représente pour elle un danger... Car, outre le rapt du petit garçon qui constitue déjà une forte charge contre elle, si nous arrivons à le prouver, on peut l'accuser d'avoir séquestré son mari, pour empêcher qu'il connût la présence à la Roche-Soreix de Mme Gérault de Varouze et de ses enfants.

— En effet. D'après les souvenirs de Votre Altesse, le comte de Varouze paraissait avoir, autrefois, une grande affection pour son neveu. Ce qu'il a dit à sa petite-nièce, les deux fois où il a pu la voir, le prouve d'ailleurs entièrement.

— Quelle serait, d'après vous, la ligne de conduite à suivre?

— Il faudrait, après entente avec la jeune fille, adresser au juge de paix une demande en émancipation. Je me chargerai de savoir quels sont les membres du conseil de famille, et je m'occuperai des formalités nécessaires pour sa réunion. Jusque-là, tout est simple et facile... Le danger réside dans le fait que Mme de Varouze, dès qu'elle sera informée de cette demande, fera tout pour contrecarrer notre plan. Mais comment l'empêcher?... Il me paraît impossible d'obtenir le secret des gens qui composent ce conseil de famille. La comtesse a dû les choisir de telle sorte qu'elle n'ait rien à craindre d'aucun d'eux.

— Probablement.. La chose est délicate, en effet, et demande grande réflexion.

— Nous ne pouvons cependant agir d'autre façon. Ceci est la voie légale, et le droit de Mlle de Varouze est, en la circonstance, absolument indéniable. Reste l'aléa que représente cette femme, laquelle peut être capable de tout, si elle craint pour elle des découvertes désagréables. Il faudra donc avertir la jeune personne d'être sur ses gardes... et si même il lui était possible de quitter cette demeure, de se réfugier dans un couvent en attendant sa libération... Eh bien! je crois que ce serait beaucoup plus prudent.

— J'arrangerai cela demain avec elle, puisque je dois la voir dans le parc de la Roche-Soreix. Ma mère se chargera de trouver le couvent qui l'abritera... Mais je vous demanderai, dans toutes vos démarches, de ne pas prononcer mon nom, d'agir comme si vous étiez seul en rapport avec Mlle de Varouze. Cela pour éviter que cette pauvre enfant ne soit l'objet de racontars pouvant nuire à sa réputation.

— Je me conformerai entièrement au désir de Votre Altesse... Ainsi, donc, aussitôt l'entente établie avec Mlle de Varouze, je me rendrai chez le juge de paix du canton, pour la réunion du conseil de famille.

— Demain, j'irai à la Roche-Soreix... Ainsi, vous pourrez me donner quelques jours, en dépit de vos occupations?

— Je suis moins pris en ce moment et mon secrétaire, un garçon intelligent, saura mener les affaires en cours. Me voici donc tout à la disposition de Votre Altesse pour faire rendre justice à cette jeune personne.

— Je vous remercie. Votre expérience me sera fort utile, non seulement pour ce dont je viens de vous entretenir, mais encore pour une autre ramification de cette affaire, qui a trait à la disparition du frère de Mlle de Varouze. Nous en causerons après le déjeuner.

Dans l'après-midi du lendemain, le prince Falnerra, laissant, comme le dimanche précédent, son automobile à quelque distance de Champuis, gagna la forêt, en ayant soin d'éviter le village où son passage aurait été remarqué et commenté... Il marchait allégrement et une flamme joyeuse s'allumait dans ses prunelles. La perspective de revoir l'enfant ravissante, dont le souvenir ne l'avait pas quitté depuis quatre jours, faisait battre plus vite son cœur, sous l'étreinte d'une émotion jusqu'alors inconnue.

« Eh! mais, serais-je en train de devenir amoureux? » songea-t-il tout à coup, en s'arrêtant au milieu du sentier.

Il secoua la tête avec impatience, en reprenant sa marche... Non, il ne l'était certainement pas encore... mais il lui fallait bien reconnaître que la beauté saisissante, le charme d'Ourida, où se mêlaient si délicatement la grâce candide, un peu sauvage, de l'enfant et la séduction de la femme, avaient fait sur lui une profonde impression.

« Il ne faudrait pas que je la voie trop souvent, cette petite enchanteresse, pensa-t-il avec un frémissement d'émoi. Et pourtant, ce sera inévitable... surtout si je fais interpréter mes œuvres par son admirable voix. »

Ces réflexions amenèrent une ombre sur la physionomie de Salvatore... Il avait assez d'expérience de la vie pour voir à l'avance les conséquences d'un rapprochement fréquent entre cette jeune fille, si merveilleusement douée sous tous les rapports, et lui, qui possédait tous les prestiges et toutes les séductions. Or, son âme était trop loyale pour accepter ces conséquences à l'égard d'une enfant isolée, tout innocente, qui s'était confiée à lui si ingénument.

Il songea :

« Enfin, je verrai... Pour le moment, il s'agit de l'enlever des mains de cette misérable intrigante.

Je demanderai ensuite à ma mère de la prendre sous sa protection... Quant à sa voix, je ne crois pas avoir le courage d'y renoncer, car elle réalise trop parfaitement mon rêve. »

Ainsi absorbé dans ses pensées, le prince atteignit la clôture et pénétra dans le parc. En peu de temps, il fut au portique ruiné... Ourida n'était pas là encore. Salvador se mit à marcher de long en large... Puis, se souvenant que la jeune fille lui avait dit qu'en cas d'empêchement, elle ferait son possible pour venir mettre un mot dans la fente d'un vieux tronc d'arbre, il alla vers celui qu'Ourida lui avait désigné, glissa deux doigts dans ladite fente et sentit qu'un papier s'y trouvait.

Un très petit papier, sur lequel Ourida avait écrit en lettres minuscules :

« Je ne pourrai pas venir aujourd'hui. Brigida est arrivée hier et je crains d'être espionnée par elle. Je ne sais jusqu'à quand elle doit rester. Il paraît que M. d'Artillac doit venir aussi passer quelques jours... Je ne sais donc quand je pourrai vous voir. Si cela m'est possible, je mettrai encore un mot ici un de ces jours. Peut-être voudrez-vous bien, vous qui êtes si bon, venir la semaine prochaine?

« Croyez, je vous en prie, à ma plus vive reconnaissance pour l'espoir que vous m'avez déjà donné.

« OURIDA. »

Un profond désappointement saisit don Salvatore, à la lecture de ce billet. L'idée qu'il ne verrait pas la jeune fille lui parut insupportable... Il maudit secrètement la servante, complice de la comtesse, qui venait se mettre en travers de ses desseins. L'action de Me Manet se trouvait ainsi retardée — pour combien de temps? On l'ignorait. Sans entente avec Ourida, il était impossible en effet d'aller de l'avant.

Don Salvatore rentra à Aigueblande dans une disposition d'esprit fort soucieuse... Manet, à qui il fit part du résultat de son expédition, fut d'avis qu'il n'y avait pas lieu à tant de pessimisme.

— Cette femme ne restera pas indéfiniment, sa maîtresse devant avoir besoin d'elle à Paris. Pendant son séjour, la jeune fille a raison d'user de la plus grande prudence. Puis, ensuite, elle sera tranquille pour quelque temps.

— Mais cette pauvre enfant s'inquiète, en attendant... et cette misérable créature va encore la faire souffrir par son insolence, sa grossièreté.

— Que voulez-vous, Altesse, nous ne pouvons empêcher cela!... Mais, en attendant qu'il nous soit possible d'agir, Votre Altesse ne pense-t-elle pas qu'il serait fort utile de faire une petite enquête, très discrète, dans le pays, sur Mme de Varouze, sur la maladie et la mort de son mari... sur bien des choses, enfin, qu'il serait bon de tirer au clair?

— En effet, l'idée est excellente. Mais cette enquête, qui en chargeriez-vous?

— Moi, Altesse. Je m'installerais à Champuis... Il y a sans doute un hôtel?

— Une auberge, plutôt.

— N'importe, je m'en arrangerai. Là, je ferai parler les gens, sans en avoir l'air... Et quelquefois un mot, dit au hasard, ouvre une voie excellente.

— Très bien. Faites pour le mieux, je vous donne toute liberté. Vous pouvez en outre, je n'ai pas besoin de vous le dire, me demander tous les fonds utiles.

L'avocat s'inclina en remerciant avec déférence. C'était un honnête homme, qui n'eût pas accepté de prendre en main une mauvaise cause. Mais une fois sa probité sauvegardée, il ne dédaignait pas ses intérêts. Aussi avait-il laissé là toutes les affaires traitées en ce moment dans son cabinet pour accourir à l'appel du prince Falnerra, dont il connaissait la générosité. Maintenant, il envisageait sans crainte la perspective de demeurer un assez long temps loin de Paris, sachant que ce qu'il perdrait d'un côté lui serait compensé royalement par ce noble client, au double point de vue argent et recommandation très influente.

Aussi était-il prêt à donner tout son zèle, toute son habileté au service de la cause remise entre ses mains.

XVI

Brigida, en effet, était arrivée la veille à la Roche-Soreix, vers la fin de la matinée. Mme de Varouze, comme suite à son entretien avec la signora Clesini, l'avait chargée de surveiller Ourida de près, tant que le prince Falnerra serait à Aigueblande. Il fallait empêcher à tout prix, au cas où la jeune fille aurait dit autrefois son vrai nom à don Salvatore, que celui-ci pût jamais avoir le moindre rapport avec elle. Or, on n'en serait assuré qu'en la tenant dans une stricte surveillance et en ne la laissant jamais franchir les limites de la Roche-Soreix sans être accompagnée.

Brigida, tout en reconnaissant la nécessité de cette précaution, se montrait fort mécontente d'être obligée à ce voyage et à ce séjour. Ce fut pour elle une occasion nouvelle de répéter à Angelica :

— Tu vois, si tu m'avais écoutée autrefois, tu serais débarrassée maintenant de cette maudite créature!... Mais je vais lui faire payer le dérangement dont elle est la cause, ne crains rien!

Quand Ourida, dans l'après-midi du mercredi, vit Brigida entrer dans la salle où elle travaillait près de Mlle Luce, elle eut peine à dominer son saisissement... Tout aussitôt, elle pensa :

« Comment ferai-je, demain, pour aller parler au prince Falnerra, avec cette misérable femme qui a toujours coutume de rôder partout, quand elle est ici? »

Brigida, de sa voix sèche, interpellait Mlle Luce, visiblement surprise :

— Eh! bonjour, mademoiselle!... Vous êtes étonnée de me voir? Madame m'envoie donner un coup d'œil par ici... parce que c'est utile, quelquefois...

En accentuant l'insolence du ton, la femme de charge continua :

— Il faut que j'active un peu le travail, qui n'avance guère... Ces broderies, Madame les attend toujours... Mais tu n'es qu'une paresseuse, dont on ne peut rien attendre de bon.

Ces derniers mots s'adressaient à Ourida. Les yeux de la jeune fille brillèrent de dédaigneuse fierté... Mais ce fut Mlle de Francueil qui répondit, avec une calme froideur :

— Depuis trois jours, nous travaillons jour et nuit pour que cet ouvrage soit terminé dans les délais que nous donne Mme de Varouze.

La femme de charge ricana :

— Jour et nuit!... Je voudrais voir ça!... Enfin, il faut que tout cela soit emballé et expédié au plus tard vendredi matin. Arrangez-vous, car Madame ne supportera plus de retard.

Du même accent de tranquillité, Mlle Luce répondit :

— Je pense que ce sera prêt.

Avec son grossier sans-gêne habituel, Brigida passa alors l'inspection des deux pièces qui composaient le logement de Mlle Luce et de son élève... Celles-ci continuaient de travailler, impassibles en apparence... et si profondément blessées au fond de leur âme fière et noble! Enfin, la femme de charge se retira, en jetant à Ourida cette annonce pleine de promesses :

— J'aurai de la besogne à te donner, Claire, dès que tu auras fini ces broderies... de la besogne qui fera marcher tes muscles et qui t'apprendra ce qu'est un vrai travail. Tu verras comme je m'entends à conduire les mijaurées de ton espèce.

Cette perspective de durs moments à passer n'arrêta pas longtemps l'attention d'Ourida. La jeune fille était à peu près uniquement préoccupée, en ce moment, de son entrevue du lendemain avec le prince Falnerra... Il fallait qu'elle le prévînt de l'obstacle qui surgissait. Pour cela, il n'y avait qu'un moyen : mettre un billet à l'endroit indiqué.

Mais là encore, elle devrait déjouer l'espionnage de Brigida.

Elle passa cette nuit-là, comme les précédentes, à travailler aux broderies près de Mlle Luce. Dans sa poche se trouvait un petit billet destiné à don Salvatore... Vers trois heures du matin, Mlle Luce, les yeux en feu, dut s'arrêter, car elle n'y voyait plus. Tandis qu'elle se couchait, Ourida continua encore de travailler... Mais bientôt, elle se leva en disant :

— J'ai un mal de tête fou! Il faut que j'aille prendre l'air un peu. Après cela, je me remettrai à la besogne.

— Oui, allez, mon enfant... Et au retour, vous vous reposerez pendant deux ou trois heures.

— Non pas, mademoiselle, je continuerai, car je ne veux pas que vous repreniez ce travail. Je l'achèverai seule... Oh! ne protestez pas! Vos pauvres yeux n'en peuvent plus... et il ne faut pourtant pas que vous les perdiez pour complaire à Mme de Varouze.

Mlle de Francueil murmura, avec une sorte de farouche amertume :

— Elle m'a déjà pris plus que la vie... Qu'importent mes yeux!

Dans la fraîcheur de l'aube, Ourida se dirigea vers le parc... Elle gagna le vieux portique, glissa le papier dans la fente du tronc d'arbre, puis revint, sans hâte, vers le logis. Son cœur était serré par la tristesse et l'angoisse. Cet après-midi, il viendrait là, son défenseur, ce prince Falnerra au superbe regard volontaire et loyal... et elle n'y serait pas... elle ne pourrait pas concerter avec lui sa libération... elle n'entendrait pas cette voix dont les chaudes intonations accentuaient si bien les paroles de sympathie, de vif intérêt...

Cela, à cause de cette Brigida... Un souffle de colère agita l'âme de la jeune fille à cette pensée. L'odieuse persécutrice!... Elle lui avait déclaré, la veille au soir, en venant faire à la maison de Mahault une tournée de surveillance :

— Puisque je suis là, et que j'ai le temps, je vais commencer divers arrangements pour le séjour que les maîtres doivent faire au château, en septembre et octobre. M. Lionel doit venir ces jours-ci pour donner ses ordres au sujet de son nouvel appartement. Je vais donc avoir beaucoup à faire... et c'est toi qui m'aideras. Ou plutôt c'est toi qui feras la plus grosse partie de la besogne. J'ai assez trimé comme ça, moi... Tu es jeune et, puisque tu dois me remplacer plus tard, il faut que tu te formes sérieusement au travail.

De ce discours, Ourida avait retenu surtout cette phrase : « M. Lionel doit venir ces jours-ci pour donner ses ordres au sujet de son nouvel appartement... » Tout aussitôt, elle avait pensé au testament du comte de Varouze. La statue de la Justice qui en gardait le dépôt se trouvait dans la chambre dont M. d'Artillac allait sans doute faire la sienne... Pourvu que, dans le remue-ménage de cette installation, on ne découvrît pas les lignes tracées par la main tremblante de l'infirme!... Et sans cela même, n'était-il pas possible qu'on enlevât les statues, qu'on les mît dans quelque autre pièce, où il serait peut-être plus difficile pour elle de les trouver?

En tout cas, il fallait absolument qu'elle s'assurât, le plus tôt possible, que le testament existait toujours... qu'on ne l'avait pas découvert et détruit, en ces neuf années.

Ces préoccupations occupèrent l'esprit d'Ourida toute la journée du jeudi, se mêlant au regret très intense de ne pouvoir se trouver au rendez-vous fixé. Elle pensa plus d'une fois, cet après-midi-là, au beau prince qui avait dû venir et qui ne l'avait pas trouvée... « Pourvu, se disait-elle avec inquiétude, qu'il n'ait pas oublié de regarder dans le tronc de l'arbre!... Sans cela, il s'imaginera peut-être que j'ai changé d'avis que je me méfie de lui. »

Cette nuit-là, Ourida put tout à l'aise se livrer à ses réflexions anxieuses. Mlle de Francueil, à bout de forces et n'y voyant plus, avait dû se coucher... La jeune fille restait seule pour terminer l'ouvrage commandé par Mme de Varouze. Celle-ci, depuis qu'elle tenait sous son joug Mlle Luce, avait abondamment usé de l'habileté remarquable que possédait la victime de Sephora pour tous les ouvrages d'aiguille. Tapisseries, dentelles, merveilleuses broderies, Mlle de Francueil avait exécuté tout cela, depuis dix-neuf ans, sur les ordres de la comtesse. En ce moment, elle confectionnait avec l'aide d'Ourida, son élève, — aussi habile qu'elle-même, — le trousseau de Lea. Mme de Varouze avait choisi des broderies compliquées, d'une grande difficulté d'exécution. En outre, elle n'accordait pas le temps nécessaire à un tel travail... Il en résultait pour les deux pauvres femmes un surmenage effrayant, de jour et de nuit, qui avait enfin vaincu l'énergie de Mlle Luce.

A l'aube seulement, Ourida eut terminé la tâche imposée par la cruelle tyrannie d'Angelica... Alors, brisée de fatigue, les yeux brûlants, elle se jeta sur son lit et s'endormit d'un lourd sommeil. Une heure plus tard, elle était brusquement réveillée par une voix sèche :

— Allons, paresseuse, debout!... Et au travail!

Brigida, entrée sans frapper, se tenait au seuil de la chambre qu'occupaient les deux femmes. Son regard méchamment narquois allait du visage fatigué d'Ourida à celui de Mlle de Francueil. Celle-ci avait une physionomie très altérée, des yeux rouges et gonflés. Elle était visiblement allée au-delà de ses forces... Mais elle restait calme et stoïque, avec cet air d'indifférence qu'elle avait toujours opposé aux hypocrites méchancetés d'Angelica et aux insolences de la servante.

Toutefois, elle fit observer.

— Cette enfant a travaillé toute la nuit et ne s'est couchée que depuis une heure.

— Eh! c'est bien assez, à son âge et dans sa condition! Il faut qu'elle apprenne à peiner, cette petite pauvresse à qui Madame fait depuis si longtemps la charité.

Ourida avait plus d'une fois entendu cette phrase, ou quelque autre de ce genre. Chaque fois, elle avait tressailli d'indignation... elle qui savait ce qu'était « la charité » d'Angelica à l'égard de la nièce et des petits-neveux de son mari... Mais jamais elle ne répliquait à cet odieux mensonge. Seul, son expressif regard disait à la complice de la comtesse tout le mépris qu'elle éprouvait à son égard.

Ce fier dédain exaspérait l'animosité que Brigida n'avait cessé d'éprouver à son égard et qui s'augmentait encore, cette année, à la vue de cette beauté, de ce charme grandissants. La femme de charge songea, en jetant à la jeune fille un regard de menace :

« Attends, attends, péronnelle, je vais t'apprendre à faire ta princesse! »

La besogne réservée par elle à Ourida consistait dans le nettoyage de plusieurs pièces du premier étage. Elle commandait — sur quel ton et avec quelles observations désagréables! — et la jeune fille exécutait le travail que Brigida s'appliquait à rendre aussi dur que possible...

Ourida avait espéré, du moins, qu'il lui serait possible, se trouvant dans le château, d'entrer dans l'ancien appartement du comte de Varouze pour constater la présence du testament. Profitant d'un moment où Brigida était descendue, elle courut jusque-là... et s'aperçut avec une profonde déception que la porte restait fermée à clef.

Il n'y avait rien à tenter ici, pour le moment. Mais certainement la femme de charge s'occuperait du nettoyage de cet appartement, un de ces jours. Elle se ferait sans doute aider par celle à qui elle imposait le rôle de servante... et, alors, il serait facile pour Ourida de jeter un coup d'œil sous la statue, à un moment où sa persécutrice serait éloignée.

Lionel d'Artillac arriva le lendemain matin... Ourida, occupée à frotter le parquet de la bibliothèque, n'entendit pas le bruit de la voiture qui avait été le chercher à la gare. Ayant besoin de demander une indication à la femme de charge, elle se dirigea vers le vestibule et y atteignit à l'instant où M. d'Artillac mettait le pied sur le seuil, suivi de Brigida qui l'avait accucilli à sa descente de voiture.

La jeune fille recula instinctivement... Lionel, après un court arrêt de quelques secondes, s'avança vers elle, un sourire aux lèvres, la main tendue.

— Bonjour, Claire... Comment allez vous?

Certes, le grossier sans façon de Brigida avait plus d'une fois vivement blessé Ourida... Mais devant la familiarité de ce jeune homme, qu'accompagnait l'impolitesse, — car il n'avait même pas touché son chapeau, — elle eut l'impression d'une insulte bien plus grave encore. La tête redressée, le regard fier, elle répondit sèchement, sans paraître voir cette main cavalièrement tendue :

— Je vais bien, monsieur, merci.

Brigida l'interpella aigrement :

— Tu ne vois donc pas que M. Lionel t'offre la main?

Froidement, Ourida riposta :

— C'est que, probablement, il ne me convient pas de m'en apercevoir.

La femme de charge s'axclama :

— Tu oses parler ainsi, petite misérable?... Attends, que je t'apprenne...

Elle s'avançait, la main levée... Mais Lionel lui saisit le bras.

— Allons, tiens-toi tranquille! Elle sera plus aimable une autre fois... Et l'on peut bien, d'ailleurs, pardonner un caprice à une aussi jolie fille.

Plus câlin que jamais, exprimant une vive admiration, le regard de Lionel s'attachait sur Ourida...

Cette fois, le teint déjà empourpré par le travail que la jeune fille venait de faire devint brûlant, ses yeux s'assombrirent et se détournèrent avec hauteur. Sans un mot, elle tourna les talons pour regagner la pièce qu'elle venait de quitter.

Brigida ricana :

— Hein! tu vois quelle charmante personne est cette Claire?... Tu perdrais ton temps à lui faire des compliments et des gentillesses, mon petit Lionel.

M. d'Artillac eut un sourire de suffisance.

— Oh! j'arriverai bien à l'apprivoiser!... Elle est d'une beauté extraordinaire, Brigida! Quels yeux!... Et cette admirable chevelure!... Il n'est pas jusqu'à son air farouche qui ne lui donne plus de charme encore!

La femme de charge grommela en regardant le jeune homme avec un vif mécontentement :

— Eh bien! si tu es toqué d'elle, maintenant!... Tu aurais aussi bien fait de rester là-bas en ce cas.

Lionel leva les épaules.

— Ne t'occupe donc pas de ça, ma vieille Brigida, c'est affaire entre cette petite et moi. Si je m'amuse à lui faire un peu la cour, je me demande quel inconvénient ma mère et toi pourriez trouver à cela?

— Des inconvénients? Il n'en manquerait pas... Quand ce ne serait que de la rendre plus difficile encore à gouverner, quand elle verra que tu t'occupes d'elle et que tu l'admires.

— Bah! tu sauras bien la mater, si elle fait mine de se révolter.

Brigida marmotta quelques mots irrités, où il était question de « jeunes gens fous et insupportables »... Mais elle ne protesta pas davantage. Jamais elle n'avait su refuser quelque chose à Lionel et, pour lui elle aurait marché sur des épines, elle aurait tenté l'impossible.

Tandis que la femme de charge et son jeune maître s'entretenaient ainsi, Ourida, réfugiée dans la bibliothèque, s'était assise au hasard sur un siège. Elle frémissait de colère, de fierté outragée... Ce Lionel d'Artillac n'était qu'un pleutre et le digne fils de sa mère... Si inexpérimentée qu'elle fût, Ourida, âme délicate, avait senti l'insulte qui lui était faite... Et, sans qu'elle y prît garde, sa pensée allait aussitôt vers le prince Falnerra...

Elle comparait les deux hommes qui, en ces quelques jours, apparaissaient dans sa vie... L'un respectueux, chevaleresque et discret... L'autre...

Elle frissonna de colère au souvenir du regard et des paroles de Lionel... Combien de temps allait-il demeurer ici?... Et pourvu qu'elle ne le rencontrât plus!

Le lecteur retrouvera les personnages de ce roman dans le prochain volume à paraître sous le titre de : « POUR L'AMOUR D'OURIDA », qui sera l'épilogue des deux précédents ouvrages intitulés : « OURIDA » et « SALVATORE FALNERRA ».

TITRES
DE LA COLLECTION
DELLY

Un marquis de Carabas
La jeune fille emmurée
Ma robe couleur du temps
Le roi de Kidji
Elfrida Norsten
La lampe ardente
Le drame de l'Étang aux Biches
Ourida
Salvatore Falnerra
Pour l'amour d'Ourida
Des plaintes dans la nuit
L'ondine de Capdeuilles
Gilles de Cesbres
Laquelle
Orietta
La louve dévorante
L'accusatrice
Le rubis de l'émir
Les seigneurs loups
Un amour de prince
Annonciade

CE VOLUME RÉALISÉ D'APRÈS
LA MAQUETTE DE RELIURE
DE JEANINE FRICKER
A ÉTÉ ACHEVÉ D'IMPRIMER
LE 21 JUILLET 1975
SUR LES PRESSES
DE L'IMPRIMERIE BUSSIÈRE
A SAINT-AMAND
ET RELIÉ PAR
BRODARD ET TAUPIN

N° d'édit. 9 A. — N° d'imp. 1140.
Réimpression déposée dans le 3e trimestre 1975
Printed in France